D0900878

MARIA
i
PAUL
MIŁOŚĆ
GENIUSZY

MACIEJ KARPIŃSKI

WYDAWNICTWO MARGINESY

1

Dziś Niemcy i Włochy wypowiedziały wojnę Ameryce, nareszcie wciągając ją w konflikt zbrojny w Europie. Napisałem „nareszcie", bo jeszcze kilka dni temu, zaraz po japońskim ataku na Pearl Harbor, nie było to wcale takie pewne. Co prawda, Stany Zjednoczone znalazły się wtedy w stanie wojny z Japonią, ale na tym mogło się skończyć, amerykańsko-japońskie walki toczyłyby się na Pacyfiku, a Europa byłaby pozostawiona sama sobie.

Tak przynajmniej uważała większość Francuzów, z którymi się tu spotykam. W tym gronie nie mówi się o niczym innym, tylko o wojnie, ale jest to wyłącznie wojna w Europie, a konkretnie we Francji. Pearl Harbor, Japonia, Pacyfik to dla nich jakaś obojętna egzotyka. Jeszcze do wczoraj obawiali się, że Anglia nie wytrzyma samotnej walki i mimo wszystko rozpocznie negocjacje z Niemcami, pozostawiając Francję i resztę Europy na pastwę losu. Dziś wybuchła euforia, zupełnie jakby amerykańscy żołnierze mieli wkroczyć do Paryża już jutro.

Tymczasem młodych, wysoko podgolonych amerykańskich chłopców w mundurach wciąż jeszcze pełno na ulicach Nowego Jorku. Tutaj cała ta wojna, czy na Pacyfiku, czy tym bardziej w Europie, wydaje się odległą abstrakcją. Owszem, krzyczą o niej tytuły gazet na każdym rogu ulicy, ale na całym Manhattanie zapalają się bożonarodzeniowe światełka, ludzie śpieszą we wszystkich kierunkach obładowani zakupami, a dzieci z rozdziawionymi buziami stoją przed pięknie udekorowanymi i oświetlonymi wystawami domu towarowego Macy's.

Oglądam to wszystko przeważnie przez szyby taksówki, o ile w ogóle zdecyduję się wyjść z domu, bo poruszam się z coraz większym trudem nawet o lasce. Zdarza się, że całe dnie spędzam w łóżku, czytając i drzemiąc na zmianę. Czasem jednak ogarnia mnie ochota, by wyjść. Ostatnio raz czy dwa byłem na uczelni, na Wydziale Fizyki, ale odniosłem wrażenie, że nikt tam na mnie specjalnie nie czeka, pojawiło się mnóstwo nowych ludzi, rzecz jasna znacznie młodszych, dla których jestem tylko emerytem, zasłużonym, być może, ale jednak emerytem, którego dni przeminęły. Spoza radosnych powitań i okrzyków: *How are you, professor?* oczywiście bez pozostawiania czasu na odpowiedź, przebija niecierpliwe oczekiwanie, bym czym prędzej przestał im zawracać głowę i pozwolił zająć się swoją robotą.

Zresztą doskonale ich rozumiem: o czym mielibyśmy rozmawiać, kiedy wyczerpią się tematy mojego zdrowia i pogody? Co prawda ostatnio doszła wojna, ale obawiam się, że jej konsekwencje dla Francji są raczej obojętne moim młodym kolegom, ja z kolei słabo orientuję się w znaczeniu baz wojskowych na Hawajach. Różni nas także to, że wielu z nich prędzej czy później pójdzie na tę wojnę – a ja nie. Ja swoje wojny mam już za sobą.

Częściej – co nie znaczy, że często – udaję się do domów znajomych Francuzów, emigrantów takich jak ja, gdzie wprawdzie też odgrywam rolę szacownego zabytku minionej epoki, co staram się czynić z godnością, ale przynajmniej mogę liczyć na coś francuskiego do zjedzenia oraz rozmowę na bliższe mi tematy.

Mniej przyjemną stroną tych spotkań jest to, że biorą w nich udział wciąż ci sami ludzie, więc argumenty w konwersacji stale się powtarzają i odnosi się wrażenie, że czas stanął w miejscu i niezależnie od upływu tygodni i miesięcy toczy się wciąż ta sama rozmowa. Jej tematem jest oczywiście Francja, ale raczej ta, którą wszyscy zabraliśmy ze sobą w pamięci, a nie ta, która zapewne obecnie istnieje.

Unikam tak zwanych kręgów naukowych, bo tam jeszcze dochodzi narzekanie na amerykańskie uniwersytety i studentów – na ich tępotę i ignorancję – nad którymi my, Europejczycy, górujemy niczym Himalaje. Tylko w takim razie po co tu wszyscy przyjechaliśmy?

Jesteśmy czymś więcej niż wygnańcami, jesteśmy przybyszami nie tylko z innego kraju, innego kontynentu, ale i z innego czasu. To, co nam wydaje się zaledwie dniem wczorajszym, zachowanym w świeżej pamięci, tutaj jest historią równie zamierzchłą, jak przypadki starożytnych Greków opisane przez Homera, znane już tylko nielicznym.

Często uświadamiam sobie, jak wiele z mojego życia, z doświadczeń całego pokolenia, należy do wieku dziewiętnastego, a w każdym razie do czasów sprzed Wielkiej Wojny, którą teraz trzeba będzie chyba nazywać „pierwszą", żeby jakoś odróżnić ją od obecnej, czasów, które z tutejszej perspektywy wydają się tak

Jean Perrin w młodości

odległe, że ja sam z trudem przywołuję je w pamięci. Przeszłość wyłania się z niej jak daleki egzotyczny kraj zaludniony postaciami w dziwacznych kostiumach i o anachronicznych manierach. Gdzieś tam są, pielęgnując swoje staroświeckie obyczaje, czyniąc rzeczy ważne, nawet wielkie, przeżywając swoje rozterki, problemy, kto wie, może i porywy wielkich uczuć, ale co to właściwie obchodzi tych, którzy żyją w świecie realnym, na innym kontynencie, noszącym nazwę „dziś".

I właśnie tu i teraz, w tych dniach wielkiego zamętu, kiedy – o czym jestem przekonany – rozstrzygają się losy Francji i świata, w jednym z tych zacnych francuskich domów na Upper East Side spotkałem kogoś, kto świeżo przybył z Europy, w dodatku znanego pisarza, nazwiskiem Saint-Exupéry.

Słyszałem o nim już przed wojną, ale nic jego nie czytałem, bo wydawało mi się, że głównym tematem, jakim się zajmuje, jest lotnictwo, które nie budzi mojego zainteresowania. Saint-Exupéry okazał się niedużym, cichym człowiekiem o okrągłej twarzy i wyglądzie raczej księgowego albo wiejskiego nauczyciela niż pilota, tym bardziej „pilota wojennego", jak zatytułował swoją nową książkę, która ma się tu niedługo ukazać.

A jednak właśnie ten niepozorny człowiek był wśród nas prawdziwym bohaterem, lotnikiem, który odbywał loty zwiadowcze nad Niemcami i parę razy omal nie został strącony. Teraz, jak mi sam powiedział, zamierza niebawem wrócić do Europy i znów usiąść za sterami samolotu bojowego, tym razem w armii Wolnych Francuzów – gdzie podobno nie bardzo chcieli go przyjąć ze względu na wiek i stan zdrowia, ale on używał wszelkich wpływów, w tym także swojej literackiej sławy, by dopiąć swego i w końcu pewnie mu się to uda.

Wszędzie tutaj witają go z wielkimi honorami, ale on, z całkowicie naturalną skromnością, zawsze odpowiada, że walczyć za Francję jest teraz łatwiej niż w niej żyć. „Nie ma wspólnej miary dla walki otwartej i dla zagłady w ciemnościach – powiedział mi. – Nie ma analogii między zadaniem żołnierza i zakładnika". Saint-Exupéry uważa, że to ci, którzy pozostali we Francji, są dziś prawdziwymi bohaterami.

Nie chciałem psuć podniosłego nastroju pytaniem o tych, którzy w Vichy udają, że Państwo Francuskie istnieje i ma się dobrze – czy oni też są bohaterami, bo pewnie tak sami o sobie sądzą.

Wolałem zapytać Saint-Exupéry'ego o kilku francuskich znajomych, w nadziei, że może w Londynie coś o nich słyszał, w końcu to znacznie bliżej Paryża niż

Nowy Jork, ale wymieniane przeze mnie nazwiska nic mu nie mówiły, co było całkowicie zrozumiałe, obracaliśmy się przecież w zupełnie innych kręgach i skąd on, pisarz i lotnik, miałby wiedzieć cokolwiek o losach fizyków i chemików?

Z jednym wyjątkiem.

2

Po spotkaniu z Saint-Exupérym nie spałem całą noc. Nazwisko, które nie było mu obce, sprawiło, że przed moimi oczami zaczęło przewijać się, niczym na taśmie filmowej, pasmo wspomnień, z których wiele było najważniejszymi epizodami mego długiego życia, zaludnionymi najdroższymi mi postaciami. To nazwisko brzmiało Langevin, Paul Langevin.

– Mówi się, że profesor Langevin, człowiek już niemłody i znany uczony, jest ważną postacią w ruchu oporu – mówił Saint-Exupéry, nieświadom wrażenia, jakie na mnie robi.

A jednak musiał coś zauważyć, bo urwał i zapytał:

– Pan go zna?

Czy go znam? Przecież chodziło o jednego z moich najbliższych przyjaciół, o człowieka, z którym spędziłem nie godziny czy dnie, ale lata całe na rozmowach i dyskusjach, z którym przeżyłem tyle dobrych i złych chwil, takich jak te, o których będzie tu mowa.

Równocześnie jednak to proste pytanie kazało mi – przez moment, zaledwie mgnienie oka – zastanowić się nad tym, czy kiedykolwiek poznałem Paula Langevina naprawdę, do końca, nie tylko jako ujmującą postać i błyskotliwy umysł, ale jako człowieka. W tej jednej sekundzie przypomniałem sobie wszystkie pytania dotyczące sprzecznych i niejasnych stron jego osobowości, jakie sobie zadawałem, kiedy jeszcze widywaliśmy się niemal co dzień, więc odpowiedziałem ostrożnie:

– Przecież to jeden z naszych najwybitniejszych fizyków.

– Tak słyszałem – odrzekł Saint-Exupéry i nie kontynuowaliśmy już tego tematu.

Wzmianka o ruchu oporu wcale mnie nie zaskoczyła, bo jeśli mogłem oczekiwać, że ktokolwiek z moich znajomych się w to zaangażuje, to Paul przychodził mi do głowy jako pierwszy – najważniejsze było to, że w ogóle żyje. Znając jego od dawna głośno wypowiadane poglądy i porywczy charakter, spodziewałem się najgorszego. Na szczęście, jak się okazało, skończyło się na areszcie domowym, co można traktować jako przewrotną łaskawość losu.

Tylko dwa lata młodszy ode mnie, pochodzący z prostej robotniczej rodziny (jego ojciec był ślusarzem), wszystko zawdzięczał własnym zdolnościom i ambicji. Studiował w Szkole Fizyki i Chemii u Piotra Curie, potem wyjechał na studia do Cambridge i wrócił akurat wtedy, gdy Piotr nareszcie objął katedrę na Sorbonie, więc zrobił tam u niego doktorat. Z biegiem czasu stał się prawą ręką Piotra, nie tylko zaufanym współpracownikiem, ale i przyjacielem, niemal domownikiem rodziny Curie.

Nie zaniedbywał przy tym własnych badań, w których podążał nieprzetartymi dotąd ścieżkami, pracując przede wszystkim nad teorią elektronów (którą jego mentor Piotr Curie nazywał „nową religią"), by potem – z właściwą sobie umiejętnością łączenia rzeczy pozornie odległych, jaka cechuje naprawdę wielkich uczonych – zastosować ją do zjawiska magnetyzmu.

Niejako przy okazji tych dociekań Langevin doszedł do wniosku, że energia to masa pomnożona przez prędkość światła podniesioną do kwadratu, co wyraża się wzorem $E = mc^2$, jednak tylko po to, bo dowiedzieć się, że niejaki Einstein zdążył już opublikować

to odkrycie. Ale dosyć, dosyć już o nauce, obiecałem sobie, że tym razem spróbuję pisać o czymś innym.

Był mężczyzną wysokim, postawnym i przystojnym. Strzygł się na jeża i nosił podkręcone wąsy, co nadawało mu nieco militarny wygląd. Często wyobrażałem go sobie w mundurze, najlepiej dragonów. Nieco szorstki w obejściu, zwykle małomówny, co trochę upodobniało go do Piotra Curie, ale były to jedynie pozory. Kiedy zapalał się w rozmowie, jego oczy rozbłyskiwały, a on potrafił wznieść się na wyżyny elokwencji.

Ceniony jako wykładowca i lubiany przez studentów, gdy stawał na katedrze, nawet najbardziej skomplikowane zagadnienia potrafił przedstawiać precyzyjnie i klarownie. Miał rozległe zainteresowania, co wcale nie jest częste wśród wybitnych uczonych, skłonnych do zamykania się w swoim świecie; o literaturze i filozofii, i wielu innych dziedzinach mógł rozprawiać ze swadą godzinami. Jakby tego było mało do odmalowania bogactwa osobowości Paula, trzeba jeszcze wspomnieć o jego zdecydowanych poglądach w kwestiach społecznych i politycznych.

Wypowiadał się jednoznacznie negatywnie o systemie oświatowym i uniwersyteckim we Francji,

Paul Langevin w młodym wieku, podczas studiów w Cambridge

co jeszcze bardziej zbliżało go do Piotra Curie. Krytykując to, co – wykształcony w Anglii – nazwałby zapewne „establishmentem", jako jeden z pierwszych i nielicznych w naukowym środowisku zaangażował się w sprawę Dreyfusa, oczywiście w jego obronie.

Zupełnie się nie zdziwiłem, kiedy pewnego dnia zapukał do moich drzwi, trzymając w rękach rozpostartą płachtę dziennika „L'Aurore" z olbrzymim tytułem: *J'Accuse!*, przebiegającym przez całą czołówkę. Pamiętam, jak z płonącymi policzkami przeczytałem tekst Zoli i natychmiast zgodziłem się podpisać – wraz z Paulem – petycję intelektualistów z poparciem dla płomiennego wystąpienia pisarza w obronie fałszywie oskarżonego oficera.

Jakże mało tam widniało nazwisk naszych wybitnych kolegów, którzy siedzieli w swoich laboratoriach i obdarzali ludzkość nowymi odkryciami właśnie wtedy, gdy kapitan Alfred Dreyfus – człowiek zupełnie niewinny, oskarżony o zdradę tylko dlatego, że był Żydem – doświadczał hańby upokarzającej degradacji na dziedzińcu École Militaire, a potem, w warunkach nie do uwierzenia dla żadnego człowieka, który mieni się cywilizowanym, cierpiał w samotności swego więzienia na Wyspie Diabelskiej!

Cinq Centimes

ERNEST VAUGHAN

L'AURORE

Littéraire, Artistique, Sociale

J'Accuse...!

LETTRE AU PRÉSIDENT DE LA RÉPUBLIQUE

Par ÉMILE ZOLA

LETTRE A M. FÉLIX FAURE

Président de la République

Dziennik „L'Aurore" z manifestem Emila Zoli w obronie Dreyfusa *J'Accuse!* (Oskarżam!) ujętym w formę listu otwartego do prezydenta Republiki Francuskiej

Le Petit Journal

Le Petit Journal
CHAQUE JOUR 5 CENTIMES
Le Supplément illustré
CHAQUE SEMAINE 5 CENTIMES

SUPPLÉMENT ILLUSTRÉ
Huit pages : CINQ centimes

ABONNEMENTS

	TROIS MOIS	SIX MOIS	UN AN
PARIS	1 fr.	2 fr.	3 fr 50
DÉPARTEMENTS	1 fr.	2 fr.	4 fr.
ÉTRANGER	1 50	2 50	5 fr.

Sixième année — DIMANCHE 13 JANVIER 1895 — Numéro

LE TRAITRE
Dégradation d'Alfred Dreyfus

W czasie poprzedniej wojny Paul sam wkroczył na pole – czy raczej na fale – wojskowości, konstruując hydrolokator ultradźwiękowy do wykrywania położenia łodzi podwodnych nieprzyjaciela. Wykorzystał do tego celu odkrycia Piotra Curie w dziedzinie piezoelektryczności (dosyć, dosyć o nauce), dzięki czemu Piotr, największy cywil, jakiego można sobie wyobrazić, też w jakimś sensie, bezwiednie, przyczynił się do zwycięstwa, choć wtedy nie mógł już tego wiedzieć.

Później, dużo później – kiedy był już dyrektorem Szkoły Fizyki i Chemii i członkiem Akademii Nauk – Paul Langevin, znów jako jeden z pierwszych w naszym środowisku, przeczuł nadciągające niebezpieczeństwo i już na pięć lat przed obecną wojną założył Ligę Antyfaszystowską (potem przemianowaną na Ligę Praw Człowieka); trudno byłoby oczekiwać, że zostanie mu to zapomniane – dobrze, że skończyło się – przynajmniej na razie – na areszcie domowym, a nie na jakiejś nowej Wyspie Diabelskiej.

A jednak ten człowiek wielu talentów i godnych pozazdroszczenia zalet nosił w sobie jakąś skazę, na jego osobowości była jakby rysa, niedostrzegalna od razu, lecz ujawniająca się (i znów znikająca) przy częstszym

Okładka prasowa ukazująca scenę degradacji kapitana Dreyfusa i bliższym obcowaniu, skrywana całą siłą woli tajemnica, równocześnie domagająca się, by ją odsłonić. Prędzej czy później musiało się to stać.

Niedługo po powrocie z Anglii, na przełomie wieków, dwudziestosześcioletni Paul Langevin ożenił się z o cztery lata od siebie młodszą Jeanne Desfosses. Oblubienica, podobnie jak on sam, pochodziła z niższych sfer (tak wtedy mawiano, choć dziś z amerykańskiej perspektywy wydaje mi się to wręcz śmieszne) – jej ojciec był rzemieślnikiem, wszelako wśród rzemieślników musiał zapewne należeć do sfer wyższych, albowiem trudnił się wyrabianiem ceramicznych kopii dzieł sztuki, które turyści kupowali jako pamiątki z Paryża, mógł zatem czuć się nieomal artystą.

Rzecz jasna, byliśmy z żoną na ich ślubie. Oboje pięknie się prezentowali: on wysoki, ze swym kawaleryjskim wąsem, ona w rozkwicie bujnej urody, przypominająca trochę dziewczęta z obrazów Renoira. Paul uchodził zawsze za miłośnika i znawcę niewieścich wdzięków, nie dziwiło więc, że znalazł sobie taką dorodną żonę.

Moja Henriette od razu poczuła sympatię do tej młodej kobiety, może też uważała, że trzeba jej ułatwić odnalezienie się w nowym, zupełnie obcym dla niej środowisku. Starała się zaprzyjaźnić z Jeanne, odwiedzając Langevinów w domu i oferując im pomoc w różnych sprawach, jako że Jeanne wkrótce po ślubie była już w ciąży.

Jednakże urodziny dziecka, wydarzenie w większości rodzin radosne, w domu państwa Langevinów stały się zarzewiem coraz gwałtowniejszych konfliktów. Dochodziło do kłótni, których Henriette nie potrafiła określić inaczej niż jako karczemne. Opowiadała mi o „okropnych scenach", których była mimowolnym świadkiem, co rzecz jasna sprawiło, że jej wizyty u Paula i Jeanne stawały się coraz rzadsze. Innymi słowy, jej dobre chęci spełzły na niczym.

Nietrudno jednak było jej zauważyć, że główną przyczynę tych konfliktów stanowiło nieustające i natrętne wtrącanie się teściowej Paula, czyli matki Jeanne, i, jakby tego było mało, także jej siostry – czyli jego szwagierki – w życie młodej pary. Odnosiło się wręcz wrażenie, że Paul Langevin, odkąd ożenił się z Jeanne, prowadził życie rodzinne nie z jedną, a z trzema kobietami naraz.

Starsza siostra Jeanne była żoną niejakiego Henriego Bourgeois, jednego z redaktorów radykalnie prawicowej gazety „Le Petit Journal", którą bez obawy o przesadę można by nazwać zwykłym brukowcem, gdyby nie jej polityczne ambicje i całkiem rzeczywisty wpływ na opinię publiczną (czy raczej, powiedzmy, pewne jej lecz dość szerokie kręgi), co tak wyraźnie ujawniło się przy okazji sprawy Dreyfusa, w której „Le Petit Journal" odegrał szczególnie niesławną rolę. To, że zawód i miejsce pracy, nie mówiąc o poglądach, szwagra Paula Langevina mogą mieć dramatyczny wpływ na losy tego ostatniego, nie przychodziło nam wtedy do głowy; stało się to jednak całkiem niedługo.

Dodatkowym powodem nieporozumień między małżonkami było to, że Jeanne, osoba nader praktyczna, w żaden sposób nie mogła zrozumieć, dlaczego jej mąż woli pracować za niewielkie wynagrodzenie – czyli „marne grosze", jak to określała – na uczelni niż przyjąć którąś ze składanych mu ofert firm przemysłowych, gdzie chętnie wykorzystano by jego zdolności, rzecz jasna za znacznie większe pieniądze.

Takie pojęcia, jak „badania naukowe", „doświadczenia", „eksperymenty", a nawet „odkrycia" zdawały się całkiem jej obce, co, jak łatwo sobie wyobrazić, musiało niesłychanie Paula irytować. Być może jednak kwestie te nie stawałyby tak bardzo na ostrzu noża, gdyby matka i siostra Jeanne nie dolewały stale oliwy do ognia.

To zapewne niezbyt eleganckie wyrażać się tak o rodzinie przyjaciela, ale gwoli prawdy nie sposób nie zauważyć, że wszystkie te trzy kobiety odznaczały się – jeśli można użyć takiego oksymoronu – doskonałą pospolitością. Jeanne z biegiem czasu stawała się coraz mniej podobna do dziewcząt Renoira, upodabniała się raczej do tęgiej praczki z biedniejszych dzielnic Paryża. Jeśli chodzi o powierzchowność pani Bourgeois, to miała ona tę cechę, że gdy tylko wyszła z pokoju, zapominało się jej twarzy. Starsza pani Desfosses, cóż, mówiąc z całym szacunkiem należnym jej wiekowi, spędzała większość dnia w szlafroku, z włosami w nieładzie i przemykała po domu Langevinów jak zły duch, szukający okazji, by wtrącić się w nie swoje sprawy. Wszystkie trzy nigdy nic nie czytały, a ich opinie i poglądy nie wykraczały poza najbardziej wytarte komunały rodem z „Le Petit Journal". W takim towarzystwie Paul Langevin – jeden z najwybitniejszych umysłów pokolenia – spędzał swoje dnie (i noce, nie zapominajmy o nocach).

Pewnego dnia przyszedł do mojego laboratorium i poprosił o rozmowę, jak się wyraził, „na tematy prywatne". Miał bladą, smutną twarz, widoczne było, że jest w stanie bliskim depresji, co w owym czasie zdarzało mu się często. Wszystko to razem nie zapowiadało niczego dobrego.

Kiedy usiedliśmy w rogu laboratorium przy stole, który służył mi za biurko, Paul wyjął z kieszeni kopertę i bez słowa położył ją przede mną. Zaintrygowany, zajrzałem do środka, by ku swemu zdumieniu znaleźć tam osiemset franków. Popatrzyłem na milczącego Paula.

– Co to za pieniądze? – spytałem. – Po co mi je dajesz?

– Proszę, żebyś je przechował – rzekł cicho.

– Przechował? Jak to?

– U mnie w domu nie są bezpieczne.

Musiałem patrzeć na niego nierozumiejącym wzrokiem, bo natychmiast pośpieszył z wyjaśnieniem:

– Nic, co należy do mnie, nie jest bezpieczne u mnie w domu. One zaglądają w każdy kąt, przeszukują moje rzeczy, czytają papiery.

– One?

– Moja żona, szwagierka i teściowa. Zatruwają mi życie na każdym kroku.

Miałem wrażenie, że oczy tego dużego, silnego mężczyzny o wyglądzie kawalerzysty i wysublimowanym umyśle uczonego zwilgotniały. Opanował się jednak i ciągnął dalej, najwyraźniej czując potrzebę wyrzucenia z siebie wszystkiego:

– Czy uwierzysz, Jean, że niedługo po narodzinach naszego dziecka jej matka i siostra wykradły mi z kieszeni listy, moje prywatne listy od matki. Pisała w nich, że niepokoi ją stan naszego małżeństwa. Kiedy zażądałem od Jeanne ich zwrotu, usłyszałem, że trzymają je, tak właśnie – „trzymają", wszystkie trzy, jako amunicję na wypadek rozwodu. Tak właśnie to nazwała, „amunicję". Potem przypadkowo natknąłem się na te listy, głupio schowane pod świecznikiem, i wtedy one... – urwał, jakby zawahał się, czy nie powiedział już zbyt wiele, ale zdecydował się kontynuować. – Wtedy one rzuciły się na mnie i odebrały mi je siłą.

– O Boże – tyle tylko potrafiłem powiedzieć.

Langevin wstał, odwrócił się, jakby chciał ukryć przede mną twarz, i szybko poszedł ku drzwiom. Koperta z pieniędzmi leżała tam, gdzie ją pozostawił.

Złożył mi jeszcze kilka takich wizyt, w czasie których wysłuchiwałem jego zwierzeń. Wyłaniał się z nich obraz domowego piekła, urządzanego mu przez trzy prymitywne i złośliwe kobiety. Widząc, jak się męczy, powstrzymywałem się od zadawania dodatkowych pytań, by nie zmuszać go do opisywania szczegółów. Jego skargi na „grubiaństwa" i „wulgarne zniewagi" całkowicie mi wystarczały, równocześnie jednak czułem, że na to wszystko musiał nakładać się jeszcze porywczy charakter samego Paula, który zapewne niekiedy nie pozostawał dłużny za obelgi.

Jednakże błędem byłoby sądzić, że małżeńskie życie Langevinów wyglądało wyłącznie tak. Cała ta historia rozciągała się wszak na miesiące i lata, podczas których zdarzały się momenty – i całe okresy – lepsze i gorsze, i co więcej, na świat przychodziły kolejne dzieci.

W tym czasie wznowiliśmy nawet – Henriette i ja – stosunki towarzyskie z Paulem i Jeanne, która podczas tych spotkań była wobec nas miła i serdeczna, co wydawało się dobrze rokować ich małżeństwu, niezależnie od posępnej miny Paula, którą można było przypisać jego depresyjnemu charakterowi. Moja żona zaczęła nawet mnie przekonywać, że Paula i Jeanne dzielą tylko „drobne nieporozumienia", ale wkrótce usłyszeliśmy – ja od Paula, a ona od Jeanne – kolejne wzajemne oskarżenia o „zuchwałość", o wyzwiska i obelgi.

Henriette martwiła się samotnością Paula we własnym domu i tym, że – poza nami, bo nikomu innemu nawet nie wspominał o swoich problemach – nie ma w kim znaleźć oparcia. Robiliśmy, co w tych okolicznościach uważaliśmy za możliwe, ale wkrótce się okazało, że nawet my nie znamy całej prawdy.

3

Zanim jeszcze Paul Langevin uwikłał się w swoje toksyczne małżeństwo, w 1891 roku do Paryża przybyła z Polski pewna żądna wiedzy młoda kobieta (rzecz jasna nie mieliśmy wtedy o tym pojęcia). Nazywała się Maria Skłodowska. Jej siostra Bronisława pracowała już od jakiegoś czasu w Paryżu jako lekarka, prowadząc wraz z mężem przychodnię dla niezamożnych pacjentów.

Nieraz zastanawiałem się później, dlaczego rodzice w Polsce nadają swoim dzieciom imiona, których nikt poza ich krajem nie może wymówić – na przykład „Bronisława" – i jak dobrze się stało, że to nie Marii przypadło to imię, tylko jej siostrze, bowiem nie jestem pewny, czy jako Bronisława Skłodowska zrobiłaby taką karierę w świecie francuskiej nauki, jaka stała się jej udziałem. Na szczęście miała na imię Maria.

Po przyjeździe od razu rzuciła się w wir nauki (przebudowa Sorbony była właśnie na ukończeniu), wykazując nadzwyczajne zdolności w dziedzinie fizyki i chemii. W swoim rodzinnym kraju nie mogła studiować na uniwersytecie, gdyż nie dopuszczano tam kobiet, ale i we Francji – wbrew temu, co się dziś często sądzi – była na Sorbonie jedną ze stosunkowo nielicznych studentek: na niemal dziesięć tysięcy studiujących mężczyzn przypadało wtedy około dwustu kobiet, w dodatku wiele z nich, jak ona, przybyło z zagranicy.

Swoją drogą, jakim musiał być dla tej młodej kobiety doświadczeniem – ile wymagał determinacji i uporu – ten przyjazd z dalekiej Polski, będącej wtedy rosyjską prowincją, do Paryża, ówczesnej stolicy świata, a przynajmniej Europy, i nie po to, by jak spora część cudzoziemek zasięgnąć wiedzy o najnowszej modzie lub wydawać pieniądze zamożnych mężów, ale by studiować na uniwersytecie!

Już wtedy – wiem, bo przecież poznałem ją niedługo potem – mówiła dobrze po francusku i wystarczył krótki pobyt we Francji, by mówiła już doskonale, z ledwo wyczuwalnym, pełnym wdzięku akcentem.

Dlaczego Polka mogła się nauczyć tak dobrze francuskiego, i to u siebie w kraju, który przeciętny Francuz ma za intelektualną prowincję, podczas gdy on sam, jadąc za granicę, nie żeby od razu do Polski, ale nawet do Londynu czy Berlina, nie jest w stanie opanować porządnie żadnego obcego języka?

Maria zrobiła swój pierwszy licencjat – z „nauk ścisłych" – z wyróżnieniem. Kiedy wkrótce zdała drugi egzamin licencjacki, z matematyki, wydawało się, że osiągnęła swój cel – zdobycie wyższego wykształcenia – i mogłaby spokojnie wrócić do Polski, gdzie z łatwością znalazłaby pracę jako wysoko wykwalifikowana nauczycielka, co wciąż uważała za swój patriotyczny obowiązek.

Tyle że właśnie wtedy zjechał do Paryża znajomy Bronisławy, polski fizyk z Krakowa, ale pracujący we Fryburgu – profesor Kowalski z nowo poślubioną małżonką i Bronisława postanowiła podjąć ich obiadem, na który, rzecz jasna, zaprosiła Marię. Ta z kolei stroniła od wszelkich towarzyskich spotkań, wymawiając się zawsze pilną potrzebą zgłębiania wiedzy, w końcu jednak uległa namowom siostry i o umówionej godzinie zjawiła się w jej mieszkaniu.

Pierwszą osobą, którą tam zobaczyła – poza gospodynią – był szczupły brodaty mężczyzna stojący tyłem, oparty o framugę drzwi balkonowych. Zostali sobie przedstawieni. Nazywał się Piotr Curie i był fizykiem, o którego pracach Maria wcześniej słyszała. Przy obiedzie rozmawiali o symetrii kryształów, zagadnieniu, nad którym Piotr Curie akurat pracował wraz ze swym bratem Jacques'em, co gorszyło profesora Kowalskiego, jak się zdaje, uważającego – jak większość jego rodaków – że Polacy spotykający się poza Polską powinni rozmawiać wyłącznie o niedolach swej Ojczyzny i wszelkie zbaczanie z tego tematu jest prawie narodową zdradą.

Ale i jego interesowało życie paryskie, a w szczególności wielkie projekty przebudowy śródmieścia Paryża, łącznie z kwartałem, gdzie mieściło się mieszkanie Bronisławy i jej męża, doktora Dłuskiego, który z ożywieniem tłumaczył:

– Tę okolicę dopiero całkiem niedawno przebudowano według planów barona Haussmanna. Przedtem wszędzie tu były rudery, siedlisko nędzy i chorób. Ale i tak sporo tego zostało, bo to dalej dzielnica fabryczna.

– Haussmann, wielki człowiek – odrzekł na to profesor z Fryburga. – Ale w Polsce nie miałby nic do roboty. Po cóż Warszawie wielkie bulwary, jak to stolica Kraju Przywiślańskiego, nawet nie miasto gubernialne...

Jednocześnie po drugiej stronie stołu, gdzie siedzieli Maria i Piotr, toczyła się taka rozmowa:

– Słyszałam o pańskich pracach nad symetrią. To bardzo ciekawe, ale przyznam, że niewiele jeszcze o tym wiem – powiedziała ona.

A on odparł po swojemu, z łagodnym uśmiechem, powoli:

– Przygotowuję publikację na ten temat, chętnie prześlę ją pani.

– To chyba wymagało całych lat doświadczeń?

– W fizyce nie można się śpieszyć. To przede wszystkim ciężka praca w laboratorium. – Nagle, być może pod wpływem spojrzenia Marii, ożywił się. – Widzi pani, przedmiot posiada płaszczyznę symetrii albo płaszczyznę odbicia, o ile ta płaszczyzna dzieli go na dwie części, tak jak to w przybliżeniu bywa niekiedy z zewnętrznym wyglądem ludzi i wielu zwierząt...

Kilka głów przy stole obróciło się w ich stronę. Nagle, ku zaskoczeniu słuchaczy, a szczególnie Bronisławy, Piotr sięgnął przez stół i wyjął z wazonu jeden z kwiatów. Wyglądało to tak, jakby zamierzał go ofiarować Marii, ale on, trzymając kwiat w rękach, mówił dalej:

– Kwiat prawidłowy o czterech płatkach ma cztery osie symetrii. Kryształy, na przykład soli kamiennej czy ałunu, mają kilka płaszczyzn symetrii i kilka różnych osi symetrii...

Nagle zorientował się, że wszyscy goście na niego patrzą, a on trzyma w rękach kwiat. Czym prędzej włożył go z powrotem do wazonu, ale tak niefortunnie, że łodyga się ułamała i kwiat zwisał teraz żałośnie pośrodku stołu. Maria uśmiechnęła się nieznacznie.

– Już dawno zauważono powstawanie w kryształach ładunków elektrycznych – powiedział Piotr pośpiesznie, jakby dla zatarcia wrażenia – ale sądzono, że dzieje się to pod wpływem temperatury. Nie dawało nam to z bratem spokoju...

– Mój Boże – wtrącił jowialnie Kowalski – zdawało mi się, że przychodzę na obiad, a trafiłem na seminarium!

– Bo pan nie zna mojej siostry, panie profesorze – dodała z powagą Bronisława. – Ona może zapomnieć o jedzeniu, ale nigdy nie przepuści okazji, by się czegoś nauczyć.

Przy stole zapanowała ogólna wesołość. Nawet Maria znów nie mogła powstrzymać uśmiechu, a najgłośniej śmiał się Kowalski.

Jak się później wyjaśniło, to on zasugerował Bronisławie zaproszenie swego znajomego fizyka, bo słyszał, że Maria poszukuje laboratorium do swej pracy, a Piotr Curie czymś takim akurat dysponował.

Z tego obiadu Maria i Piotr wyszli razem, gdyż okazało się, że przypadkiem zmierzali w tę samą stronę i Piotr zaproponował, że ją odprowadzi.

Piotr Curie był człowiekiem małomównym, robił wrażenie nieśmiałego, z trudem nawiązywał znajomości. Urodzony samotnik, przedkładał pracę w skromnej Szkole Fizyki i Chemii Przemysłowej nad splendory Sorbony, gdyż nie potrafił sobie nawet wyobrazić uczestnictwa w tak zwanym życiu akademickim, oznaczającego zabiegi o karierę, stanowiska i awanse. Zresztą nie zadbał nawet o zrobienie doktoratu, choć miał na koncie więcej publikacji naukowych, i to znacznej wartości, niż zakładały formalne wymogi dla kandydata na doktora nauk. W sposób niemal chorobliwy nie znosił wszelkich zaszczytów i wyróżnień i zawsze zdecydowanie je odrzucał. Jakiekolwiek kryteria by przyjąć, Piotr Curie zasługiwał na miano dziwaka.

Spotkanie Marii Skłodowskiej musiało zrobić na nim szczególne wrażenie, skoro w ogóle uczynił pierwszy krok do dalszej znajomości, następnie znajomość tę podtrzymywał, wyraźnie zmieniając jej charakter na coraz większą zażyłość, aż do etapu, który od biedy można by nazwać – jak to się wtedy mawiało – konkurami.

Czynił to wszystko jednak w sposób dla siebie właściwy, czyli niezdecydowany, pełen wahań i drobiazgowego analizowania każdego posunięcia, co jest bardzo pożyteczne, wręcz niezbędne w dociekaniach naukowych, ale w sprawach uczuciowych nie jest niczym więcej niż dzieleniem włosa na czworo; trzeba było wielkiej wyrozumiałości, a i cierpliwości ze strony młodej kobiety, by się do tego – czy też do niego – nie zniechęcić.

W dodatku początkowo Piotr wolał porozumiewać się z nią listownie, zapewne rozmawianie o uczuciach wydawało się mu zbyt trudne, zresztą przez część tego czasu jej nie było w Paryżu, nic zatem dziwnego, że musiał minąć ponad rok, by oboje zaczęli sobie uświadamiać, a co więcej, wyrażać tę myśl głośno, że może jednak pragnęliby spędzić resztę życia razem, co dla Marii oznaczało ostateczne porzucenie myśli o powrocie do Polski.

Piotr wykorzystał ten rok także na zrobienie doktoratu – uznał pewnie, że skoro planuje założyć rodzinę, to może należałoby pomyśleć o awansie na polu zawodowym. Jego rozprawa doktorska została bardzo wysoko oceniona, a Maria była obecna na jej obronie.

Tak czy inaczej, w lipcu 1895 roku, gdy nad Francją przetaczała się jeszcze burza sprawy Dreyfusa, czy raczej jej wciąż wychodzących na jaw i coraz bardziej przerażających okoliczności, w ratuszu w Sceaux, gdzie dom miała rodzina Curie, odbyły się zaślubiny Marii i Piotra, a następnie skromne weselne przyjęcie w ogrodzie tegoż domu.

Był piękny letni dzień, wokół kwitły kwiaty. Maria ze swoją słowiańską urodą i niebieskoszarymi oczami wyglądała zachwycająco w skromnej ciemnej garsonce i niebieskiej bluzce. Piotr w tym wszystkim zdawał się mniej zagubiony niż zwykle i odnosiłem wrażenie, że jeśli żywił jakieś obawy przed tą wielką życiową zmianą (znając go, dziwiłbym się, gdyby było inaczej), łagodził je wewnętrzny spokój Marii.

Ojciec Piotra, doktor Curie, z właściwym sobie wdziękiem wygłosił żartobliwe przemówienie, wychwalając odwagę Marii tak charakterystyczną dla jej narodu i nieodzowną, by wyjść za jego syna. A brat i współpracownik Piotra, Jacques, dokuczał Marii, pytając, czy Piotr już zdążył jej szczegółowo opowiedzieć o wszystkich ich eksperymentach, czy też zostawił to na noc poślubną. Słowem, panowała swobodna i radosna atmosfera.

Gdy nadszedł czas prezentów ślubnych, obaj z rozczochranym jak zwykle André Debierne'em, przybie-

rając tajemnicze miny, wydobyliśmy z szopy na narzędzia ogrodnicze wielki bezkształtny przedmiot, opakowany w płócienny pokrowiec. Kiedy wszyscy, z nowożeńcami na czele, zgromadzili się zaciekawieni, gestem cyrkowego sztukmistrza zerwałem płótno, odsłaniając nie jeden, a dwa nowiutkie błyszczące rowery – prezent od całego naszego Wydziału. I na tych rowerach Maria i Piotr odjechali w podróż poślubną do Bretanii. Czy mogli przeczuwać, jak bardzo, dosłownie na śmierć i życie, połączy ich wspólna pasja wydzierania materii świata jej tajemnic i jak daleko ich zaprowadzi?

Nie piszę biografii. Staram się mówić o tym, czego sam byłem świadkiem. Nie zawsze jest to łatwe, choćby z racji upływu lat, czasem wręcz niemożliwe, bo mojej opowieści nie dałoby się zrozumieć bez choćby pobieżnego wspomnienia zdarzeń, przy których nie mogłem być obecny. A jeśli do tego przywołać moje postanowienie, by najmniej jak to tylko możliwe pisać o różnych naukowych szczegółach, o których inni napisali tomy, stanie się jasne, jak niełatwe jest to przedsięwzięcie.

Fotografia ślubna Marii i Piotra Curie

Piotr Curie ze świeżo poślubioną małżonką Marią
i prezentami ślubnymi – rowerami

A więc krótko: po powrocie do Paryża młodzi małżonkowie zamieszkali w niewielkim mieszkaniu na ulicy Glacière, nieopodal miejsca, gdzie jeszcze niedawno studentka Skłodowska gnieździła się na poddaszu. Piotr wznowił swoje wykłady w Szkole Fizyki i Chemii, głównie z dziedziny elektryczności, a Maria...

Maria, cóż, z uporem poszerzała swoją wiedzę, uczęszczając chociażby na wykłady Marcela Brillouina, u którego w swoim czasie studiowaliśmy także ja i Paul Langevin. Miała bowiem zamiar zrobić wkrótce doktorat. Jak obojętnie brzmi to zdanie: „miała zamiar zrobić doktorat"! Gdyby ten zamiar się powiódł, byłaby pierwszą kobietą nie tylko we Francji, ale i na całym świecie, która sięgnęła po ten stopień naukowy. Potrzebne do tego były – oprócz wykładów – także badania laboratoryjne, które prowadziła w wilgotnej szopie użyczonej przez uczelnię Piotra, przy ulicy Cuvier.

Żyli skromnie, ale wcale nie tak biednie, jak później chciała legenda. Oboje nie przykładali wagi ani do wystroju mieszkania, ani tym bardziej do ubiorów, więc istotnie niewiele na ten cel wydawali. Ale chadzali czasem do teatru, a także odwiedzili kinematograf wkrótce po wynalezieniu go przez braci Lumière. Mniej więcej rok po ślubie urodziła się im córka Irena. Maria musiała dzielić teraz swoją uwagę między naukę i zajmowanie się dzieckiem, gdyż w sprawach życiowych na pomoc Piotra nie mogła zbytnio liczyć.

Można było na nim polegać, jeśli chodzi o naukę. Od samego początku Maria dzieliła się z nim wszystkimi swoimi spostrzeżeniami. Czy już wtedy zaczęła się między nimi wytwarzać owa symbioza myśli, przez którą później nie dawało się ustalić, co w ich dokonaniach pochodzi od jednego czy drugiego i jaki jest ich indywidualny wkład w odkrycia? Niemniej w tym pierwszym okresie, jeśli można tak powiedzieć, praca zarówno koncepcyjna, jak i fizyczna przypadała Marii, gdyż Piotra wciąż absorbowały jego doświadczenia z kryształami.

Ją natomiast zaciekawiły świeżo odkryte przez Becquerela promienie – emitowane głównie przez sole uranu – których pochodzenia sam odkrywca nie potrafił jeszcze wyjaśnić, a samo odkrycie zostało dość obojętnie przyjęte przez sfery naukowe. Jaką intuicję wykazała Maria, skoro dostrzegła otwierające się możliwości związane właśnie z tym zjawiskiem, które później sama nazwała „promieniotwórczością", a które wówczas obrała na temat pracy doktorskiej!

Zbiegło się to ze zmianami w życiu prywatnym: rodzina przeniosła się do domu z ogródkiem przy bulwarze Kellermanna. Zamieszkał tam także niedawno

Jean i Henriette Perrin z małżonkami Curie
i córkami – Ireną i Aline, 1904

owdowiały doktor Curie, który praktycznie przejął opiekę nad Ireną, dzięki czemu Maria mogła bez reszty poświęcić się swojej pracy.

Wkrótce Henriette i ja wprowadziliśmy się do domu obok, co jeszcze bardziej zbliżyło nas do Marii i Piotra. Dość powiedzieć, że moja żona stała się, i pozostała do końca, jedyną kobietą, oczywiście nie licząc siostry, która mogła zwracać się do Marii po imieniu. Nawet z Marguerite Borel Maria porozumiewała się poprzez *vous*; czy można się dziwić, że tak wielu uważało ją za wyniosłą? Ale ona chyba w ogóle nie zastanawiała się nad takimi sprawami, zaprzątało ją zupełnie co innego.

Idąc śladem Becquerela, najpierw skupiła się na badaniu promieniotwórczych własności pochodnych uranu, by szybko dojść do wniosku, że podobne właściwości ma również tor. Ale kiedy przystąpiła do badania dość pospolitego minerału – blendy smolistej, zwanej także smółką uranową, ze zdumieniem zauważyła, że stopień jej aktywności promieniotwórczej jest znacznie wyższy, niż by wynikało z zawartości uranu. Doszła więc do wniosku, że badany materiał musi zawierać także inną, nieznaną dotąd substancję odznaczającą się wysoką promieniotwórczością, a zatem nic innego niż nowy pierwiastek, nieobecny jeszcze na tablicy Mendelejewa.

Codziennie Maria relacjonowała Piotrowi postęp swych prac i przedstawiła mu hipotezę, do której na ich podstawie doszła. Piotr, choć coraz bardziej zainteresowany, początkowo z właściwą sobie ostrożnością odradzał jej – przynajmniej na razie – publikację wyników eksperymentów. Ale Maria nie chciała czekać. Sporządziła dla Akademii Nauk komunikat, stwierdzając wyższą aktywność smółki uranowej niż samego uranu i konkludując: „To zjawisko jest bardzo znamienne i zdaje się wskazywać, że rudy te mogą zawierać pierwiastek znacznie aktywniejszy od uranu".

„Zdaje się wskazywać", „mogą zawierać" – sformułowania będące wymogiem naukowej ostrożności w stawianiu niepotwierdzonych jeszcze hipotez dla specjalisty są jednoznaczne: pani Maria Skłodowska-Curie jest na tropie wzbogacenia tablicy Mendelejewa o nowy pierwiastek. Jednakże, podobnie jak wcześniej w przypadku Becquerela, oficjalny świat naukowy pozostał obojętny na tę informację.

Ale nie Piotr Curie. Coraz bardziej zaintrygowany perspektywą wyodrębnienia nowego pierwiastka, porzucił swoje dotychczasowe zajęcia i aktywnie włączył się w prace Marii, coraz bardziej przybliżające ich do otrzymania tej substancji, której aktywność promieniotwórczą określają najpierw jako sto pięćdziesiąt, a następnie jako trzysta trzydzieści razy większą od aktywności uranu. Wreszcie są tak bardzo pewni, że – teraz już oboje – publikują komunikat o odkryciu nowego pierwiastka, który nazywają polonem.

Do dziś nie mogę pojąć, jak możliwa była taka erupcja energii nie tylko intelektualnej, ale i fizycznej – bo wymagającej wielu męczących badań laboratoryjnych – u tych dwojga ludzi w ciągu zaledwie jednego roku – 1898. Brzmi to niemal niewiarygodnie, ale to w tym właśnie roku Emil Zola opublikował swoje *J'Accuse!*, a mało znany literat Marcel Proust zaczął zbierać podpisy pod petycją z poparciem dla jego obrony Dreyfusa, tą samą, którą podpisaliśmy wraz z Langevinem!

Komunikat o odkryciu polonu został ogłoszony w lipcu, i zaraz potem małżonkowie Curie wyjechali wreszcie na wakacje. Ale w czasie tych wakacji, zamiast odpoczywać, dyskutowali o swoich ostatnich doświadczeniach, które skłaniały ich do przypuszczenia, że smółka uranowa nie zdradziła im jeszcze wszystkich swoich tajemnic i że musi zawierać coś więcej niż polon.

Po powrocie rzucili się w wir pracy i bardzo szybko doszli do przekonania, że jest to jeszcze jeden zupełnie nowy pierwiastek, o właściwościach odmiennych od właściwości polonu (o czym nie będę się tu rozpisywał). Już dwudziestego szóstego grudnia Akademia Nauk otrzymała kolejny komunikat, zawiadamiający o odkryciu radu.

Trzeba go było jeszcze wyodrębnić. Tę tytaniczną pracę wykonywała głównie Maria. Na podwórko „laboratorium" zwożono wory ze smółką uranową, którą dźwigała i wkładała do wielkiego kotła, gotowała, by rozpuścić, ciągle mieszając. Wyglądała przy tej robocie jak jakaś średniowieczna czarownica, warząca w kotłach tajemnicze roztwory, a cała ta szopa – laboratorium robiła na mnie wrażenie miejsca kultowych obrzędów.

A przecież był to dopiero początek długiego procesu strącania i filtrowania, a potem precyzyjnych pomiarów... Maria wyglądała na coraz bardziej zmęczoną, mizerniała w oczach, co przypisywała wykonywanej przez siebie fizycznej pracy; lekarze podejrzewali gruźlicę. Zaczął także niedomagać Piotr, jego bóle nóg wiązano z reumatyzmem spowodowanym wilgocią panującą w szopie. Oboje nie zdawali sobie sprawy, że powoli stają się ofiarami niszczących sił, które wyzwolili. Maria nie chciała w to uwierzyć do końca życia.

Tymczasem Piotr otrzymał wreszcie stanowisko wykładowcy na Sorbonie, którego mu wcześniej odmówiono i wówczas dostał je ktoś inny. Tym kimś innym byłem ja. Potem nieraz słyszałem opowieści, jak to Piotr Curie padł ofiarą typowej dla kręgów akademickich niezdrowej konkurencji, w której zawsze wygrywają ci z lepszymi koneksjami.

Nie muszę mówić, jak bardzo bolały mnie takie opinie. Ja, syn sklepikarki, nie wykorzystałem żadnych prywatnych znajomości, bo ich nawet nie miałem – przypadek zrządził, że ja i Piotr ubiegaliśmy się o to samo stanowisko i przypadło ono mnie, a nie jemu; sprawa ta nigdy nie położyła się cieniem na naszej przyjaźni. Reszta to już imaginacja ludzi, którzy z niezrozumiałego powodu chcą zrobić z Piotra Curie wieczną ofiarę, podczas gdy on sam szedł drogą, którą sobie świadomie wybrał. W każdy razie teraz, jeśli ktoś chce widzieć to w ten sposób, w końcu sprawiedliwości stało się zadość.

Marii zaoferowano wykłady w wyższej szkole dla dziewcząt (kształcącej przyszłe nauczycielki) w Sevres; także ja tam wykładałem i wiem, że szkoła prezentowała

Maria Curie i Paul Langevin z uczennicami szkoły dla panien w Sevres; to prawdopodobnie jedyne zdjęcie, na którym występują razem, zostało zrobione w 1906 roku, przed śmiercią Piotra Curie

poziom wystarczająco wysoki, by Maria mogła z czystym sumieniem przyjąć tę ofertę. Oznaczało to jednak, że poza pracą badawczą prowadzili teraz oboje wykłady, które przecież musieli przygotować, w różnych punktach Paryża. Na szczęście w prace wykonywane dotąd przez Marię włączył się André Debierne, nieduży człowieczek bardziej rozczochrany od Einsteina, zdolny chemik i lojalny współpracownik.

Pozostał potem u boku Marii aż do końca, mówiono, że się w niej kocha. Nie mogę tego wykluczyć, jego oddanie dla niej wykraczało daleko ponad normę zawodowej współpracy, lecz czy ona odbierała to w ten sposób, nie mówiąc już o jakimkolwiek odzewie na to uczucie – o czym też plotkowano – nic mi o tym nie wiadomo.

Odkrycie polonu i radu wzbudziło takie zainteresowanie promieniotwórczością, że nie tylko Becquerel, ale i Rutherford, i inni uczeni w wielu krajach prowadzili intensywne badania w tej dziedzinie. Trwał swoisty wyścig na odkrycia, co mało interesowało Piotra, ale na pewno pobudzało ambicje Marii. Na wiosnę 1902 roku była już w stanie przedstawić próbkę niemal zupełnie oczyszczonej soli radu, a dwudziestego ósmego marca tego roku zapisała jego ciężar atomowy – 225,93.

4

Wybucha szaleństwo.

Przed szopą przy ulicy Cuvier tłoczą się dziennikarze i ciekawscy, by podziwiać tajemniczą błękitną poświatę, emanowaną przez próbki radu. Rad zostaje uznany za cudowne lekarstwo właściwie na wszystko, od chorób nowotworowych (nie bez racji) do łysienia i siwienia. Na rynku pojawiają się rozmaite specyfiki – od rzekomych leków po kosmetyki i płyny do kąpieli – zawierające jakoby rad w mniejszym czy większym stężeniu. Stanowił także pożądany materiał dekoracyjny – wszak tak pięknie świecił w ciemnościach. Pewna amerykańska tancerka rewiowa występowała po ciemku cała wysmarowana roztworem radu. Nikt nawet nie podejrzewał, że wszyscy, mający z radem zbyt częstą lub długotrwałą styczność, w istocie igrają z ogniem, narażając zdrowie i życie.

Podejrzenia zaczną się dopiero znacznie później: w pewnej amerykańskiej fabryce zegarków roztworem radu powlekano wskazówki – robiły to kobiety, które na przemian wkładały pędzelki do pojemnika z tą substancją i do ust, by uzyskać większą precyzję – pracownice te, jedna po drugiej, zaczynały chorować, a następnie umierały.

Na razie jednak nikt nawet nie myślał o takich konsekwencjach promieniotwórczości. Rad jawił się jako niezwykły wynalazek, niemalże remedium na wszelkie bolączki ludzkości. Nic więc dziwnego, że wokół niego błyskawicznie powstał lukratywny biznes, niemający nic wspólnego z nauką.

Tymczasem odkrywcy tej magicznej substancji, oszołomieni i lekko przerażeni tym, co się wokół nich działo, stanowczo – mimo składanych im propozycji – odmawiali opatentowania swego wynalazku. Uważali go przede wszystkim za odkrycie naukowe, które zgodnie z obowiązującymi w tym świecie normami etycznymi powinno być dostępne dla każdego. Decyzję taką podejmowali ludzie, którzy wciąż przecież borykali się z problemami materialnymi i nie mieli własnego porządnego laboratorium, bo otrzymane stypendia na to nie wystarczały.

Marię w tym czasie bardziej absorbowało co innego. Dopięła swego: obroniła pracę doktorską na Sorbonie.

Nie mogło mnie tam zabraknąć. Po jednej stronie stołu zasiadła trzyosobowa komisja, odziana we fraki, której przewodniczył wieloletni mentor Marii Gabriel Lippmann. Po drugiej – nieduża kobieta o blond włosach i przenikliwych szaroniebieskich oczach, licząca niewiele ponad trzydzieści lat, zupełnie niedawno przybyła z Polski.

Temat jej dysertacji: „Badanie ciał promieniotwórczych" – stał się już sensacją światową. Niczego nie ujmując moim znakomitym kolegom, było jasne, że egzaminowana wie na ten temat więcej niż jej egzaminatorzy. Toteż formuła, jaką po niedługim czasie wygłosił Lippmann: „Uniwersytet Paryski nadaje pani tytuł doktora nauk fizycznych...", brzmiała jak oczywistość, choć oczywistością wcale nie była – zawarte w niej słowo „pani" padło po raz pierwszy na świecie.

Potem odbył się uroczysty obiad na cześć Marii. Wydał go w swoim domu – ze wszystkich ludzi właśnie on! – Paul Langevin, a wokół stołu zgromadziła się plejada, która bez przesady i bez należnej skromności mówiąc, reprezentowała niemal wszystko, co nowe i ważne w ówczesnej fizyce: Piotr Curie, Ernest Rutherford (który akurat bawił przejazdem w Paryżu), gospodarz – Langevin, nie licząc mojej skromnej osoby, no i bohaterki wieczoru. Żona Langevina, Jeanne, obco czująca się w tym towarzystwie, trzymała się dyskretnie z boku, a cały wieczór upłynął w miłej, bezpretensjonalnej i wesołej atmosferze.

Langevin, choć nie był zamożny, zadbał o dobre wino i okazał się uroczym gospodarzem. Rutherford ani słowem nie zająknął się o swych pracach w dziedzinie promieniotwórczości (które miały doprowadzić go wkrótce do wielkich odkryć), tylko przez cały wieczór nadskakiwał Marii. Na zakończenie, już w ogrodzie, Piotr z miną cyrkowego magika prezentującego swój nowy numer wyjął z kieszeni małą ampułkę, której zawartość rozbłysła w ciemnościach czerwcowej nocy niebieską poświatą.

– To światło przyszłości – powiedział z powagą.

A myśmy stali, wpatrując się w tę poświatę, równocześnie zafascynowani i nieco zaniepokojeni, jak to bywa w obliczu zjawiska, o którym jeszcze wiadomo tak niewiele, w przeczuciu sił, które ono skrywa i które kiedyś nieuchronnie muszą się ujawnić. Znaliśmy się na tym na tyle dobrze, by wiedzieć na pewno, że jest to „światło przyszłości", ale nie potrafiliśmy przewidzieć, co ta przyszłość przyniesie. W mroku ogrodu państwa Langevinów nie widzieliśmy dokładnie rąk Piotra Curie i jego zaczerwienionych, poparzonych palców, którymi z coraz większym trudem trzymał ampułkę z roztworem radu.

Oboje z Marią byli wycieńczeni, wciąż chorowali. Mimo to Maria – będąc w ciąży – wyruszyła znów do Bretanii – na rowerze! – by wyszukać dla rodziny dom na wakacje. Skończyło się to przedwczesnym porodem, zgonem dziecka i depresją niedoszłej matki. Dopiero ponad rok później urodziła zdrowe dziecko, swoją drugą córkę Ewę – później uzdolnioną pianistkę. Łapię się na tym, że mówię „swoją córkę", zupełnie jak Piotr, który zawsze – zapewne nieświadomie – mówił i pisał „jej dzieci".

Niedługo potem, gdy Piotr Curie był już tak słaby, że nie był w stanie sam zapiąć guzików, a Maria wciąż rozmyślała o śmierci, nadeszła ze Sztokholmu wiadomość o przyznaniu im – wespół z Henri Becquerelem – Nagrody Nobla w dziedzinie fizyki za badania nad zjawiskiem promieniotwórczości. Nie pojechali jej odebrać, co Piotr tłumaczył w liście do Akademii Szwedzkiej ważnymi zajęciami oraz złym stanem zdrowia małżonki – o własnym nie wspominając ani słowem.

Nagroda Nobla dla małżonków Curie stała się narodową i światową sensacją – we Francji zdołała nawet na chwilę przyćmić odżywającą na nowo sprawę

Dreyfusa – a z nich samych uczyniła, jak by to dziś powiedziano w Ameryce – *celebrities*. Nastąpiła dosłownie eksplozja sławy, bez wątpienia potęgowana przez to, że Maria była kobietą. Choć mało kto rozumiał naturę ich odkryć, każdy interesował się ich życiem.

Laboratorium w szopie i dom dosłownie oblegali dziennikarze, zwykli ciekawscy oraz goście, których nie dało się nie przyjąć, jak prezydent Republiki we własnej osobie. Mnożyły się obowiązki towarzyskie, zaproszenia, w większości odrzucane. Marię traktowano jak królową albo gwiazdę filmową, co budziło w niej obrzydzenie; osaczający tłum napawał ją fizycznym lękiem. Wraz z Piotrem, który zawsze pogardzał wszelkimi wyróżnieniami, czuli się wciągnięci w jakiś obłędny wir, który raz na zawsze wyrwał ich z normalnego życia.

Jednak nie do końca. Nagroda Nobla przyniosła wymierne skutki finansowe, umożliwiające materialną stabilizację. Nie bez problemów i opóźnień znalazły się także pieniądze na dalsze badania naukowe – laboratorium przy ulicy Cuvier zostało powiększone i unowocześnione. Jednak Piotr był za słaby, by podjąć pracę, ale Maria – teraz matka dwojga dzieci – z ulgą do niej wróciła: do laboratorium i do wykładów w Sevres...

Seans spirytystyczny Eusapii Palladino

Jak w tym wszystkim znajdowali jeszcze czas i siłę, by bywać w teatrze, odwiedzać „salon" Borelów, a nade wszystko uczestniczyć w seansach spirytystycznych? Te ostatnie stały się prawdziwą pasją Piotra Curie, zawsze uważającego się za racjonalistę. Czyżby szukał w nich ucieczki od rzeczywistości, która zdawała się nie przynosić mu nic oprócz cierpień i nawet Nagroda Nobla nie mogła tego zmienić? A może dawały mu przedsmak czegoś nieznanego, czego nauka nie potrafiła wyjaśnić? Oglądał wirujące stoliki, unoszące się w powietrzu i samoistnie poruszające się przedmioty albo powiewy „ektoplazmy" – i szukał dla nich racjonalnego wytłumaczenia, traktując je właśnie jako coś, co dopiero czeka na swego „odkrywcę".

W tamtym czasie modnym medium takich seansów w Paryżu była niejaka Eusapia Palladino; Piotr gorliwie uczęszczał na te ezoteryczne pokazy z nią w roli głównej. Później dowiedziałem się, że to ja, przedwcześnie zapaliwszy światło w czasie jednego z takich wieczorów, w którym jakoby uczestniczyliśmy z Piotrem, zdemaskowałem ją jako oszustkę. Żałuję, ale nie jest to prawda. Eusapia Palladino została, owszem, zdemaskowana jako oszustka, ale stało się to – bez mojego udziału – dużo później, tu, w Nowym Jorku, o czym Piotr Curie nie mógł już wiedzieć.

5

A „salon" Borelów? Ach, to zupełnie inna historia. Tam – mrok, rozświetlany tylko poświatą „ektoplazmy", tu – światło, urok i wdzięk. Émile Borel, utalentowany matematyk, a przy tym piękny mężczyzna o czarującej osobowości, w pełni zasługiwał na miano dziecka szczęścia, szczególnie odkąd poślubił dziewiętnastoletnią Marguerite, obdarzoną urodą, seksapilem, wdziękiem i inteligencją (jak się okazało później, także talentem) córkę byłego nauczyciela Marii Curie, a obecnie dziekana Wydziału Nauk Ścisłych Sorbony, profesora Paula Appella.

Małżonkowie Borel regularnie zapraszali do siebie grono przyjaciół i znajomych, tworząc ów intelektualny „salon" na wzór salonów arystokratycznych, gdzie teraz z uporem zapraszano Marię i Piotra, a oni z uporem

Émile Borel w późniejszym wieku

odmawiali, ale tu zaczęli się pojawiać („jak cienie" – pisała później Marguerite Borel), a nawet – szczególnie Maria – czasem zabierać głos, gdy rozmowa schodziła na tematy naukowe. Trzeba tu zauważyć, że prócz wyjątkowości samego ich „bywania" jeszcze coś było niezwykłe – to mianowicie, że z Piotrem przychodziła Maria, podczas gdy inni żonaci uczestnicy tych spotkań zostawiali żony w domu; nawet ja – Henriette, a Langevin, co trochę mniej dziwiło – Jeanne.

Szkoda, że Borelowie nie znali, a zatem i nie zapraszali Marcela Prousta, zbierającego wtedy po paryskich salonach materiał do swej powieści, bo na pewno lepiej opisałby on te wieczory, niż ja potrafię to uczynić. (Swoją drogą, myślę nieraz, że gdyby on z kolei znał rodzinę Langevinów, nade wszystko rządzące nią panie, mógłby niejedno dodać do portretu swojej madame Verdurin).

Ale i wtedy bywali tam nie tylko uczeni z kręgu nauk ścisłych, a więc koledzy pana domu, lecz także pisarze, jak Jacques Maritain (którego spotkałem niedawno tu, w Nowym Jorku) czy Charles Peguy, a nawet wschodzący politycy, jak przyszły premier Léon Blum. Dyskutowano zarówno o fizyce, jak i o filozofii czy literaturze albo o najnowszych prądach w teatrze, a także recytowano wiersze, w czym szczególnie wyróżniał się Paul Langevin. Wciąż mam przed oczami, jak stoi pośrodku salonu i dźwięcznym głosem recytuje sonet Verlaine'a *Moje zwykłe marzenie* (*Mon rêve familier*):

Śnię często – przejmująco, dziwnie – o nieznanej
Kobiecie. Ja ją kocham i kocha mnie ona.
Nigdy całkiem ta sama, ni całkiem zmieniona,
Kocha mnie i pojmuje, i goi me rany.

Bo ona mnie pojmuje! Serca mego ściany
Dla niej jednej przezrocze, zagadki zasłona

Dla niej jednej opada! Gdy skroń ma spocona,
Ona jedna ją chłodzi rosą łzy wylanej...

Siedzieliśmy zasłuchani. Co oczywiste, nikomu z nas nie mogło wówczas przyjść do głowy, jak prorocze były te słowa dla losów samego recytatora, który tymczasem mówił dalej:

Krucze, lniane czy złote są jej włosy wiotkie?
Nie wiem. Imię? Pamiętam, że dźwięczne i słodkie,
Jak imiona najdroższych wygnańców żywota.

Spojrzenie jej podobne posągów spojrzeniu,
A głosu dalekiego, cichego pieszczota
Ma dźwięk głosów kochanych, zmilkłych w grobów cieniu.*

Nie pomnę, czy tego wieczoru byli z nami Piotr i Maria, toteż nie mogę powiedzieć, czy się im – a szczególnie Marii – podobało. Natomiast Marguerite Borel była zachwycona.

Marguerite wodziła rej wśród tego towarzystwa starszych od siebie uczonych i sławnych mężczyzn z taką

* W przekładzie Zenona Przesmyckiego (Miriama).

naturalnością, jakby znała ich wszystkich od urodzenia – tylko Maria Curie ją onieśmielała.

Na mnie uwzięła się szczególnie, udając, że mnie uwodzi, z taką kokieterią i wdziękiem, że parę razy niemal uwierzyłem. Nie raz udawało się jej mnie namówić, żebym siadł do pianina i grał różne „kawałki" z oper czy operetek; popisowym numerem było – na szczególne żądanie „publiczności" – wykonanie *Pieśni świętego Graala* w duecie z Paulem Langevinem (obaj należeliśmy do wielbicieli Wagnera).

Na pozór – to nie miejsce dla zgorzkniałego Piotra i neurasteniczki Marii. Ale i oni, szczególnie Maria, odczuwali jakąś słabość do uroczej gospodyni. Być może Marię fascynowało w niej coś, czego jej samej brakowało lub co w sobie mniej czy bardziej świadomie stłumiła – intensywne i nieskrępowane życie, niepodporządkowujące się wyższym celom ani obowiązkom, o konwenansach nie wspominając.

Nie sądzę jednak, by Maria łatwo ulegała pozorom: ten wdzięk i kokieteria, całkowicie naturalne, nie stanowiły całej natury Marguerite, która wkrótce – z sukcesem – zaczęła redagować bardzo jak na owe czasy postępowe pismo „La Revue du mois", a potem publikować nader poczytne powieści – tyle tylko że, by odnieść ten sukces, wzorem wielu ówczesnych pisarek przybrała męski pseudonim.

Pewnego wieczoru w „salonie" byłem świadkiem, jak naiwnym tonem małej dziewczynki – którą w gruncie rzeczy pozostała – zwróciła się do milczącej i jakby nieobecnej Marii:

– Zawsze się zastanawiałam... Może to głupie, ale zawsze się zastanawiałam, jak to jest odkryć coś nowego? Skąd to przychodzi? Czy to boska inspiracja, czy raczej jakaś elektryczna iskra?

Maria odwróciła się ku niej jak obudzona ze snu i odpowiedziała uprzejmie, choć w jej głosie czuło się zniecierpliwienie:

– Raczej ciężka praca. I trochę szczęścia.

– Tylko tyle? – Marguerite robiła wrażenie zawiedzionej.

– Tak, w każdym razie tak było w moim przypadku – ucięła rozmowę Maria.

Ale Marguerite nie dawała za wygraną:

– I nie bała się pani?

Maria dopiero teraz popatrzyła na nią z zainteresowaniem.

– Czego? – spytała.

– Na przykład, że wyzwoli coś, nad czym potem nie będzie można zapanować?

Maria nie odpowiadała dłuższą chwilę. Wreszcie zaczęła ostrożnie:

– W nauce, szczególnie doświadczalnej, zawsze istnieje pewna doza ryzyka...

I wtedy stało się coś, czego bym się nigdy nie spodziewał. Młoda Marguerite przerwała jej zapalczywie:

– Nie bała się pani, że to coś, coś nowego, coś, czego przedtem nie było i nikomu o tym nic nie wiadomo, może okazać się nie dobrem, a złem?

Usłyszał to przechodzący Émile. Przysiadł na poręczy kanapy, na której wszyscy siedzieliśmy, i obejmując żonę, odezwał się pojednawczo:

– Daj spokój, Marguerite, nie męcz naszego gościa filozoficznymi dociekaniami...

– Nie bała się pani śmierci? – dokończyła Marguerite.

Obaj z Borelem patrzyliśmy w niemym zdumieniu, jak Maria Curie spuszcza wzrok i dopiero po chwili odzywa się cicho:

– Każdy boi się śmierci. Pewnie dlatego tak kurczowo trzymamy się życia – zwróciła się do Marguerite. – Człowiek mniej boi się śmierci, kiedy wie, co po sobie zostawi.

Marguerite uśmiechnęła się, jakby chciała to wszystko obrócić w żart.

– Postaram się zapamiętać – powiedziała, wstając.
Nie wiem, czy zapamiętała. Ale ja pamiętam.

Od otrzymania Nagrody Nobla Piotr Curie niemal zupełnie nie pracował, jeśli nie liczyć publikacji artykułów – pisanych wraz z Marią, a raz nawet z Becquerelem – głównie stanowiących polemikę – jak się okazało całkowicie błędną – z atomową teorią promieniotwórczości (zwaną wtedy teorią transmutacji lub transformacji), reprezentowaną przez Rutherforda. Natomiast, zapewne po usilnych naleganiach Marii, dopełnił wszelkich niezbędnych formalności, wraz z nieodzownymi wizytami u wpływowych akademików – i został przyjęty do Akademii Nauk.

Potem pojechali do Sztokholmu, by w końcu – po niemal dwóch latach – odebrać Nagrodę Nobla. Na szczęście obyło się bez pompy i bez szaleństwa tłumów, z powodu nie tylko wrodzonej powściągliwości Szwedów, lecz także wakacyjnej pory.

Na uroczystości Piotr Curie wygłosił noblowski wykład, wypowiadając często potem cytowane słowa:

> Można się obawiać, iż w rękach zbrodniczych rad stanie się narzędziem bardzo niebezpiecznym i w związku z tym zastanawiać się, czy poznawanie tajników

Natury przynosi pożytek ludzkości, czy dojrzała ona do tego, by z nich korzystać, czy też przeciwnie, ta wiedza jest dla niej szkodliwa.

Ale dodał, jakby obawiając się zostać tym, kto zapalił światło na seansie Eusapii Palladino: „Jestem z tych, którzy – jak Alfred Nobel – sądzą, iż ludzkość wydobędzie z tych odkryć więcej dobra niż zła". Czy na pewno sam w to wierzył?

W swoim wykładzie Piotr kilkakrotnie wymienił współlaureatkę. Ale nie zajmowała ona miejsca obok niego na podium ani nie odbierała medalu z rąk króla. Maria, w skromnej sukni, zasiadała wśród publiczności. Czy ją to zabolało? Czy może jej – żyjącej, jak Piotr, w wyższym świecie, gdzie inne rzeczy się liczą – było to zupełnie obojętne? Jakkolwiek było, nie miało to znaczenia wobec tych wszystkich lat, które mieli jeszcze przeżyć i dalszych wielkich dzieł, których zamierzali razem dokonać. Byli przecież oboje stosunkowo młodzi. Mieli czas. Dużo czasu...

6

Tego wiosennego dnia, w poniedziałek 19 kwietnia 1906 roku w Paryżu od rana mżył drobny deszcz, nad Sekwaną snuła się mgła, a nisko wiszące ciemne chmury zapowiadały, że w ciągu dnia może być tylko gorzej.

Piotr Curie, zaopatrzony w parasol, którego o mało nie zapomniał i musiał po niego wracać z ulicy, jak co dzień rano udał się do laboratorium, które jednak opuścił wcześnie, jeszcze przed dziesiątą, gdyż na tę godzinę zwołane zostało zebranie organizacji o przydługiej nazwie: Stowarzyszenie Profesorów Wydziałów Nauk Ścisłych.

Podobno – mówię „podobno", bo przecież nie byłem przy tym, więc nie wiem na pewno, a nie chciałbym powtarzać plotek – jego wyjście z domu tego ranka poprzedziła jakaś scysja z Marią, gdyż Piotr jakoby chciał, by udała się do laboratorium razem z nim, a ona – przy śniadaniu z córkami i zajęta jakimiś domowymi sprawami, bo zaledwie poprzedniego wieczoru wróciła z dłuższego pobytu na wsi – odpowiedziała mu w sposób, który, przynajmniej w tym małżeństwie, mógł uchodzić za nieuprzejmy, co go wzburzyło. Być może z tego wzburzenia zapomniał parasola, ale po niego wrócił, by samotnie udać się do laboratorium, a następnie na zebranie.

Chociaż brzmi to jak całkowicie sprzeczne z jego charakterem, Piotr był działaczem Stowarzyszenia Profesorów Wydziałów Nauk Ścisłych. Chciano go nawet obrać na prezesa, ale tego było mu już za wiele i gwałtownie zaprotestował, więc stanęło na wiceprezesurze, co i tak wydawało się nieprawdopodobne – Piotr Curie jako działacz jakiejkolwiek organizacji!

Jednak owo stowarzyszenie go zainteresowało, bo odpowiadało jego wyobrażeniom o właściwej roli uniwersytetów w ogólnym systemie edukacji, w którym, według Piotra i innych członków stowarzyszenia, nauki ścisłe powinny odgrywać rolę większą niż tradycyjnie pojmowana humanistyka, kojarzona głównie z powszechnie wykładaną „greką", a kariery naukowe – zależeć nie od wysługi lat i znajomości, lecz od realnych dokonań.

Jak to zwykle bywa, pod naciskami rzeczywistości stowarzyszenie wkrótce zaczęło grzęznąć w sporach o kwestie drugorzędne i jałowych wewnętrznych dyskusjach, Piotr jednak nie tracił nadziei, że się z tego otrząśnie i odegra istotną rolę, czego zapowiedzią – paradoksalnie – miało być to, że różne ważne osobistości ze świata nauki oraz członkowie oficjalnych gremiów zarządzających systemem edukacji spoglądali na stowarzyszenie nader niechętnie. Dlatego wbrew swym zwyczajom i, chciałoby się rzec, wbrew całej swej naturze Piotr opuścił rano laboratorium i udał się na planowane zebranie, zabierając parasol.

W tym samym mniej więcej czasie Louis Manin, woźnica trudniący się przewozem towarów wielkim furgonem zaprzężonym w perszerony, pilnował załadunku sukna, które miał zawieźć do zakładów krawieckich na drugim końcu miasta, z przeznaczeniem na mundury wojskowe. Manin miał dwa zmartwienia. Po pierwsze, wiedział, że załadunek tak delikatnego towaru musi być dokonany starannie, bo inaczej sukno zamoknie, gdy tylko wyjedzie z hali na ulicę i oczywiście odbiorca będzie obwiniał o to jego, Bogu ducha winnego woźnicę, a nie tych, którzy nieporządnie ułożyli plandeki i byle jak zaciągnęli sznury. Wszystkiego więc musiał dopilnować osobiście.

Po drugie, pogoda niepokoiła go także z tego względu, że do wozu, który po załadowaniu ważył, bagatela, sześć ton, zaprzągł młode konie, nieprzyzwyczajone jeszcze do miejskiego ruchu, a wiedział z doświadczenia – przedtem latami rozwoził mleko – że w deszczu, przy śliskim bruku i marnej widoczności, trudniej niż zwykle będzie nimi kierować na zatłoczonych paryskich ulicach. Ale cóż, wożenie towarów było jego zawodem i nie mógł przecież powiedzieć: nie pojadę, bo pada deszcz.

Tymczasem zebranie stowarzyszenia odbywające się, jakżeby inaczej, w hotelu Sociétés Savantes przy rue Danton już się rozpoczęło. Nie było to liczne grono: wszystkiego siedmiu członków, w tym Paul Langevin i ja. Piotr Curie był w dobrym humorze, jak na swoje usposobienie wydawał się ożywiony i ze swadą wygłosił dłuższe (znów jak na siebie) przemówienie, jeszcze raz wskazując na to, że w obowiązującym systemie młodsi naukowcy, niezależnie od talentów i dokonań, muszą zbyt długo czekać na akademicki awans, oraz – co bardzo zainteresowało zebranych – domagał się, powołując na własne doświadczenia z radem, opracowania przepisów prawnych dotyczących bezpieczeństwa pracy w laboratoriach.

Zaproponował, by stowarzyszenie przeprowadziło kampanię na rzecz takich rozwiązań. Zadano mu jeszcze kilka pytań, o ile pamiętam głównie o szkodliwe działanie radu, o czym wspomniał w swym wystąpieniu, i tak nadeszła święta dla Francuzów pora lunchu (jak to nazywają Amerykanie), na który skuleni pod parasolami przemknęliśmy do pobliskiej niewielkiej restauracji.

Nie wypadało się spóźnić, gdyż czekała tam na nas, a właściwie na Piotra, jeszcze jedna osoba, która nie brała udziału w zebraniu, choć także zaliczała się do profesorów nauk ścisłych – przybysz z Niemiec, z uniwersytetu we Fryburgu. Profesor Kowalski, ten sam, którego wizyta w Paryżu przed dwunastu laty sprawiła, że Maria i Piotr się poznali, gdyż, jak pamiętamy, jej siostra Bronisława wydała z tej okazji obiad, na który zaprosiła oboje. I teraz, jakimś niepojętym zrządzeniem losu, Kowalski pojawił się wśród nas akurat tego dnia i oto siedzieliśmy przy jednym stole – on, Piotr Curie, Paul Langevin, ja i pozostali uczestnicy spotkania. Paul pochylił się ku mnie i z żartobliwym zdziwieniem szepnął coś w rodzaju:

– Nigdy nie widziałem Piotra weselszego i bardziej ożywionego niż dzisiaj.

Niemal w tym samym momencie Piotr popatrzył na zegarek i zaczął się sumitować, że musi nas opuścić, bo ma do załatwienia coś ważnego, a robi się późno. Nie omieszkał jednak dodać, że oboje z Marią byliby szczęśliwi, gdybyśmy wszyscy przyszli do nich wieczorem na kolację, wraz z profesorem Kowalskim oczywiście. Oznaczało to praktycznie koniec lunchu, zresztą każdy miał jeszcze jakieś sprawy, więc wszyscy zaczęli się zbierać do wyjścia.

Było koło drugiej po południu. Wyszedłem z Piotrem na ulicę. Okazało się, że ma jeszcze do przeczytania korektę swego artykułu do najnowszego numeru „Comptes rendus" i w tym celu musi pilnie udać się do biura wydawcy tego pisma Gauthiera-Villarsa, przy quai des Grands-Augustins. Zamierzał także, przy okazji, zajrzeć do biblioteki instytutu, mieszczącej się nieopodal redakcji. Pożegnaliśmy się więc i Piotr, osłaniając się parasolem, ruszył nieco chwiejnym krokiem w kierunku Dzielnicy Łacińskiej.

W tym czasie Louis Manin ostrożnie manewrował swym wielkim wozem, załadowanym belami sukna, wśród popołudniowego, chaotycznego paryskiego ruchu. Starał się jechać jak najwolniej, by nie płoszyć swych młodych perszeronów nagłym ściąganiem lejc, nie mógł jednak zanadto zwlekać, wiedząc, że jego ładunek oczekiwany jest w zakładach krawieckich. Wóz, rzecz jasna, nie miał budy chroniącej woźnicę przed warunkami atmosferycznymi, toteż Manin mógł tylko zarzucić na głowę kaptur kurtki, jaka była wówczas w modzie wśród wozaków i dorożkarzy.

Tymczasem padało już na dobre. Nie jakaś tam mżawka, a prawdziwa ulewa, przed którą przechodnie chronią się pod wielkimi czarnymi parasolami. Niewiele spod nich widać, tym bardziej że same strugi deszczu i tak ograniczają widoczność. W dodatku przy takiej pogodzie rynsztoki zamieniają się w rwące strumienie i każdy przejazd samochodu czy powozu powoduje fontanny wody. Ale przecież nie wstrzymuje to ożywionego ruchu – dorożki, tramwaje, powozy, jeźdźcy i piesi, a nawet rowerzyści tłoczą się na ulicach jak zwykle, wymijając się z najwyższym trudem.

Jeżeli dobrze pamiętam, któryś z naszych malarzy, Monet bodajże, spróbował uchwycić obraz takiego dnia na płótnie *Pont Neuf* (właśnie Pont Neuf! I czy nie u wylotu rue Dauphine?), pełnym czarnych parasoli i chaotycznego ruchu ludzi i pojazdów, połączonych w całość prawdziwie impresjonistyczną mgiełką. Myślę jednak, że trzeba by dopiero wyjść na taką ulicę i spróbować dotrzeć do zamierzonego celu, żeby naprawdę poczuć, co to znaczy ulewa w Paryżu.

Tak jak Piotr Curie, przemykający pod jednym z tych wielkich parasoli nabrzeżem niemal niewidocznej w deszczu Sekwany, mijający budki bukinistów, którzy chronili swój towar, czym tylko mogli, przed strugami wody. Tak dotarł do placu St. Michel, gdzie uparcie biły fontanny, jakby za mało było tego, co leje się z nieba, a stamtąd jakoś przedarł się wśród przechodniów i pojazdów na quai des Grands-Augustins, jedynie po to, by zastać drzwi do biur Gauthiera-Villarsa zamknięte na głucho, a na nich ręcznie wypisaną karteczkę, że wydawnictwo nie działa z powodu strajku.

Strajku? Jakiego strajku? Kto urządza strajki w redakcji pisma naukowego? Może drukarze? A może to nie był żaden strajk, tylko znak od Boga? W każdym razie Piotr go zlekceważył i uznawszy, że z korekty dziś nic nie będzie, postanowił zrealizować przynajmniej drugą część swego planu i udać się do biblioteki. Otworzył więc parasol i ruszył dalej nabrzeżem Sekwany.

Zbieg quai des Grands-Augustins, rue Dauphine i wylotu mostu Pont Neuf jest jednym z najruchliwszych skrzyżowań w Paryżu. Nawet w pogodny dzień trudno tu przekroczyć ulicę, nie lawirując między pojazdami; w dodatku przejeżdża tamtędy tramwaj. Tamtego deszczowego popołudnia olbrzymi wóz transportowy Louisa Manina staczał się właśnie z turkotem z mostu, gdy woźnica dostrzegł nadjeżdżający z prawej strony tramwaj i, by go przepuścić, zaczął gwałtownie ściągać lejce, czego tak bardzo pragnął uniknąć. Motorniczy tramwaju zorientował się jednak, że tak wielki i ciężki wóz i tak nie zdoła zatrzymać się przed nim, tym bardziej że zjazd z Pont Neuf biegnie nieco w dół, dał więc znak woźnicy, by przejeżdżał pierwszy. Louis Manin dostrzegł te znaki i z ulgą popuścił wodzy, nie dopuszczając, by jego młode perszerony stanęły dęba; wóz toczył się więc dalej, nabierając prędkości.

Gdy wóz wyłaniał się zza tramwaju, już na rue Dauphine, zza jadącego w przeciwnym kierunku powozu wyszedł szczupły mężczyzna zasłonięty wielkim parasolem. Szedł wprost na rozpędzone już konie, jakby ich nie widział, za to Louis Manin widział go doskonale, z bliska, i próbował ściągnąć konie lejcami z całej siły! Tak, jak się obawiał, młode perszerony stanęły dęba, a zaskoczony i przerażony mężczyzna rozpaczliwie czepiał się dyszla, ślizgał na mokrym bruku, wreszcie upadł – wprost pod koła! Manin gwałtownie szarpnął konie w lewo, by ominąć leżącego. I prawie się udało: przednie koła minęły go bezpiecznie, lecz... jak w zwolnionym filmie lewe tylne koło ciężkiego wozu toczyło się wprost na głowę leżącego mężczyzny...

Czy to mózg jest siedliskiem ludzkiego geniuszu? Czy te delikatne zwoje kryją nie tylko myśli już narodzone, ale także te, które dopiero oczekują na przyjście na świat, w przypadku ludzi genialnych po to, by go zmienić? Jeśli tak, mózg geniusza jest najcenniejszą materią, jaka istnieje na ziemi.

W tamtej właśnie chwili ta materia rozprysnęła się po mokrym, brudnym paryskim bruku ze zmiażdżonej czaszki Piotra Curie. Maninowi udało się zatrzymać wóz kilka metrów dalej, ale kiedy podbiegł do leżącego, Piotr już nie żył. Natychmiast zebrał się tłum; ludzie, widząc zwłoki na jezdni, wzięli nieszczęsnego woźnicę za sprawcę wypadku i zaczęli mu wygrażać. Szybko pojawili się policjanci z pobliskiego posterunku i zapobiegli samosądowi.

Wezwany ambulans nie mógł się przedostać przez ruch uliczny, który zgęstniał jeszcze bardziej, więc ciało ofiary wypadku przeniesiono do mieszczącej się tuż obok apteki. Tam aptekarz w zastępstwie lekarza stwierdził zgon, a policjanci w celu ustalenia tożsamości przeszukali ubranie zmarłego i znaleźli wizytówki z nazwiskiem Piotra i dwoma adresami: mieszkania przy bulwarze Kellermanna i wydziału na Sorbonie.

Wśród zgromadzonego na ulicy tłumu natychmiast się rozeszło, że pod kołami wozu zginął wielki uczony (choć wątpić należy, czy wielu z tych gapiów naprawdę wiedziało, o kogo chodzi); aby uchronić roztrzęsionego Manina przed linczem, policja musiała przeprowadzić go pod eskortą na posterunek w Hôtel des Monnaies. Równocześnie dokonano wstępnych przesłuchań świadków, którzy byli zgodni, że wbrew wyrokowi ulicznego tłumu, woźnica nie ponosi winy za wypadek, bo jego przyczyną były pogoda i zła widoczność oraz nieuwaga przechodnia.

Nie wiadomo, kto sprowadził na miejsce starego laboranta z Sorbony Pierre'a Clerca, który zalewając się łzami, zidentyfikował ciało profesora Curie – jakimś cudem jego twarz pozostała nietknięta. Dodał, że bywał on często nieostrożny, chodząc po ulicach lub jeżdżąc na rowerze, gdyż myślał wtedy o innych rzeczach. Wiedząc już na pewno, kim jest ofiara wypadku, komendant posterunku wysłał policjantów na Sorbonę, by powiadomili dziekana Wydziału Nauk Ścisłych, potem zatelefonował do ministra spraw wewnętrznych, a ten podobno do samego prezydenta Republiki.

Nie było mnie przy tym. Szczegóły poznałem z relacji prasowych cytujących zeznania licznych świadków, zresztą niekiedy sprzeczne, ale tylko w nieistotnych szczegółach, takich jak ten, czy Piotr Curie przechodził przez ulicę przed, czy za powozem lub czy jego zgon stwierdził aptekarz, czy też lekarz, który się w końcu pojawił. To przecież niczego nie zmienia. Połączyć te zdarzenia w całość, wypełnić luki, nie było trudno.

Gdybym tam był... Gdybym wiedział, że żegnając się z Piotrem przed restauracją na rue Danton, widzę go po raz ostatni... Gdybym wiedział... To co? Co bym zrobił? Namawiał go do zmiany planów? Zabronił mu iść tam, gdzie się wybierał? Poszedłbym z nim i w decydującej chwili chwycił go za rękę? A może rzuciłbym się do przodu, złapał za dyszel i powstrzymał rozpędzony wóz Louisa Manina?

Tymczasem ja, całkowicie nieświadomy tych wypadków, niemal od chwili naszego rozstania przebywałem tuż obok, na Sorbonie, zajęty swoimi sprawami. Policjanci wysłani z Hôtel des Monnaies pokonali tę odległość błyskawicznie i zgodnie z otrzymanymi instrukcjami udali się prosto do dziekana Wydziału Nauk Ścisłych Paula Appella, by nie tylko powiadomić go o wypadku, ale i przekazać prośbę władz, by jako bliski znajomy zmarłego zawiadomił o wszystkim jego rodzinę.

Kiedy Appell pojawił się w laboratorium, gdzie pracowałem, blady, z jakimś dziwnym wyrazem twarzy, tak niepasującym do jego na ogół jowialnej fizjonomii, wiedziałem, że musiało stać się coś strasznego. Paul Appell, mężczyzna wysoki, postawny, dystyngowany, po którym znać było, że lubi uroki życia, był nie tylko naszym długoletnim dziekanem, na którym to stanowisku nie wyróżniał się niczym szczególnym (prawdę mówiąc, to przeciwko władzy takich ludzi wymierzona była działalność stowarzyszenia, w którym działał Piotr), lecz także ojcem Marguerite, żony naszego przyjaciela Émile'a Borela, co nie pozostanie bez wpływu na dalszy rozwój wypadków.

Appell nigdy nie był wylewny, ale tym razem odniosłem wrażenie, że został dotknięty czymś w rodzaju szczękościsku, z takim trudem słowa wychodziły z jego ust. Treść słów, które w końcu z siebie wydusił, dotarła do mnie jak gdyby w dwóch fazach, najpierw jako ogólne, nie do końca zrozumiałe wrażenie, dopiero po chwili – ich właściwy sens. Przeważnie w takich sytuacjach ludzie reagują niedowierzaniem: „Niemożliwe! Jak to się stało?" – nie wiem dlaczego, ale mnie w owej chwili nic takiego nie przychodziło do głowy, o nic nie pytałem.

Nie byłem w stanie się kontrolować: łzy pociekły mi po policzkach, zupełnie jak ten paryski deszcz, który wciąż, choć coraz słabiej, dzwonił o szyby. Chwyciłem jakiś laboratoryjny ręcznik, by je powstrzymać, ale było to daremne, więc dałem spokój. Appell, wciąż przez zaciśnięte usta, naglił, byśmy już jechali na bulwar

Kellermanna. Myśl o nieuniknionej rozmowie z Marią pomogła mi się opanować i wyszliśmy.

Podróż dorożką ciągnęła się niemiłosiernie i w całkowitym milczeniu. Potem, również w ciszy, wspinaliśmy się po schodach, jakbyśmy mieli u kostek stupudowe ciężary, noga za nogą, stopień po stopniu, droga na piętro, normalnie zajmująca parę minut, trwała chyba z pół godziny. Wreszcie stanęliśmy przed masywnymi drzwiami mieszkania. Appell wyjął wielką chustkę i otarł pot z czoła. Popatrzyliśmy na siebie bez słowa i nacisnąłem dzwonek.

Po chwili drzwi się otworzyły. Podobno przed nami zjawił się tu już wysłannik prezydenta Republiki, zapewne z kondolencjami, ale dowiedział się od służącej, że pani Curie nie ma w domu, i sobie poszedł. Może to być prawdą, gdyż tym razem otworzył nam sam doktor Curie, starszy siwy pan o ujmującym wyglądzie. Miał na sobie bonżurkę, do jego nóg tuliła się mała Ewa, młodsza córeczka Marii i Piotra, patrząc na nas z ciekawością wielkimi oczami. Odruchowo ukłoniliśmy się w milczeniu, a on od razu, jakoś tak szybko, powiedział:

– Marii nie ma. Pojechała z Ireną na cały dzień do Fontenay-aux-Roses...

Dopiero teraz musiał dostrzec w naszych twarzach coś nadzwyczajnego. Puścił rączkę wnuczki, pochylił się i gestem skierował ją w głąb mieszkania. Ewa odbiegła w podskokach. Zapadła cisza, która wydawała się wiecznością, a naprawdę trwała kilka sekund, podczas których doktor Curie bacznie się nam przyglądał. Zapewne zauważył bladość Appella, a tym bardziej to, że płakałem. Nagle bardziej stwierdził, niż zapytał:

– Mój syn nie żyje.

Mogliśmy tylko skinąć potakująco głowami. Doktor Curie odwrócił się i chwiejnym krokiem wszedł do salonu. Ująłem go pod ramię i pomogłem usiąść w fotelu.

– Wypadek – powiedziałem cicho. – Zginął na miejscu.

– I nad czym się znowu tak zamyślił?

Znów zaległa cisza, której żaden z nas nie ośmielał się przerwać.

Mijały godziny. Zapadł zmrok, ale nikt nie zapalił świateł. Doktor Curie siedział bez ruchu w swoim fotelu. Ja i Appell tkwiliśmy na krzesłach. Dziekan nerwowo bębnił palcami w drewniane oparcie. Było to okropne, ale widocznie nie mógł się powstrzymać. I tylko ten dźwięk słychać było w mieszkaniu aż do chwili, gdy w przedpokoju rozległy się głosy.

Usłyszeliśmy wesoły szczebiot Ireny, a potem Marię, która jej coś odpowiadała. Zerwałem się z miejsca, obok mnie powoli podniósł się z krzesła Paul Appell. Doktor Curie nadal trwał bez ruchu w swoim fotelu.

W drzwiach salonu stanęła Maria. Zatrzymała się gwałtownie na widok niespodziewanych gości. Zaskoczona patrzyła na nasze zmartwiałe twarze. Chwilę panowała trudna do zniesienia cisza. Maria wpatrywała się we mnie z tak wymownym pytaniem w oczach, że nie mogłem się nie odezwać:

– On nie żyje.

Maria dalej patrzyła na mnie w milczeniu, zaczynało mi się wydawać, że nie usłyszała moich słów. I wtedy, dość spokojnym głosem, powiedziała coś, czego nie zapomnę do końca życia:

– Nie żyje? Zupełnie nie żyje?

7

Ciało Piotra przewieziono do domu przy bulwarze Kellermanna, tam je umyto, ubrano i złożono do trumny. Jego roztrzaskana głowa została obandażowana. Maria była obecna przy tych wszystkich czynnościach, często całowała twarz i ręce zmarłego, a kiedy wyszła z pokoju na czas ubierania zwłok, później nie mogła sobie darować, że jednak nie pozostała i nie zrobiła tego sama. Popadła w jakieś somnambuliczne odrętwienie, z którego nie mogła się otrząsnąć jeszcze długo potem. Irena i Ewa przebywały u nas pod opieką Henriette i naszej służącej, nieświadome niczego bawiły się z naszymi dziećmi.

Kiedy Piotr leżał już w trumnie, Maria nie pozwoliła pokryć jej czarnym szyfonem – jak to było w zwyczaju – nazywając go „okropną szmatą" i zamiast tego położyła na niej kwiaty. Siedziała sama obok tej trumny, jakby rozmawiała ze zmarłym mężem. Że tak było rzeczywiście, wyznała mi dużo później:

– Siedziałam tak i mówiłam do niego. Że go kocham i że zawsze go kochałam całym sercem. Przyrzekłam, że nigdy nie oddam nikomu miejsca, jakie zajmował w moim życiu, i że spróbuję żyć dalej tak, jak chciał, żebym żyła...

Czas pokazał, jak niełatwe do dotrzymania są takie przyrzeczenia.

Tymczasem odseparowała się zupełnie od ludzi, pozwalając się do siebie zbliżyć tylko nielicznym. Wraz z André Debierne'em staraliśmy się być jak najbliżej, lecz równocześnie czuliśmy, że nie wolno nam bez wezwania przekraczać tej niewidzialnej linii, którą wytyczyła. Nazajutrz po wypadku przyjechał Jacques Curie, a niedługo potem – z Polski – Bronisława, od tej pory nieodstępująca Marii na krok.

Tymczasem zaczął się istny wyścig rozmaitych władz i instytucji, które za życia nic Piotra nie obchodziły, dotyczący organizacji uroczystego pogrzebu: kto ma przemówić, kto po kim składać wieńce i temu podobne. Oczywiście zakładano ceremonię państwową, więc można sobie było wyobrazić konie z pióropuszami zaprzężone do ozdobnego karawanu, grabarzy w szamerowanych liberiach, a może nawet kirasjerów Gwardii Republikańskiej, towarzyszących konduktowi.

Maria uprzedziła wszystkie te zamiary, przyśpieszając datę pogrzebu i decydując o jego wyłącznie prywatnym charakterze, a nade wszystko, że odbędzie się na cmentarzyku w Sceaux, a nie na jednym z wielkich cmentarzy Paryża, takich jak Père-Lachaise. Tak też się stało, choć nie do końca.

Nad otwartym grobem, obok Marii, zgodnie z jej życzeniem, prócz doktora Curie i Jacques'a, zgromadzili się najbliżsi przyjaciele: Émile Borel z Marguerite, André Debierne, ja i Paul Langevin. Ale pojawił się także ojciec Marguerite, dziekan Appell, a pomiędzy nas wślizgnął się, próbując zachować najwyższą dyskrecję, minister oświaty Republiki Francuskiej Aristide Briand. Co więcej, na szczęście w pewnej odległości, zaczął gromadzić się tłumek dziennikarzy – którzy potem skrupulatnie opisali wszystko w gazetach – i zwykłych gapiów, jakich nigdy nie brakuje na pogrzebach znanych osób.

Na chwilę przed spuszczeniem trumny do grobu Maria objęła ją ramionami i przyłożyła do niej głowę, co wyglądało, jakby nasłuchiwała głosu Piotra lub prowadziła z nim cichą rozmowę. Panowała przejmująca cisza, słychać było tylko stłumiony szloch Marguerite

Borel; nam wszystkim łzy napłynęły do oczu. Po dłuższej chwili Marię jakoś oderwano od trumny – poddawała się temu jak automat – i ciało Piotra Curie spoczęło w ziemi.

Potem musiała przetrwać kondolencje – przed których składaniem nie udało się powstrzymać już na cmentarzu przypadkowych żałobników – a potem te, które w postaci listów i telegramów napływały masowo na bulwar Kellermanna. Była w tym wszystkim jak gdyby całkowicie nieobecna, jakby jakaś część jej samej uleciała wraz z Piotrem.

Wracaliśmy z pogrzebu razem z Langevinem. Był blady i milczący, co wydawało się oczywiste. Ja też się nie odzywałem. Nagle powiedział tak cicho, że ledwo usłyszałem jego słowa:

– Nie chciała mnie puścić.

W pierwszej chwili nie zrozumiałem, o kim mówi. Dopiero po chwili dotarło do mnie, że ma na myśli swoją żonę Jeanne i ich kolejną kłótnię.

Okoliczności, w jakich mi o tym opowiadał, były tak niezwykłe, że może dlatego zapamiętałem każde słowo.

Kiedy Paul, już stosownie ubrany, zamierzał wyjść rano z domu, Jeanne zatrzymała go w progu, domagając się wyjaśnień, dokąd się wybiera „taki wystrojony".

– Przecież mówiłem. Na pogrzeb – odparł.

– Na pogrzeb? Czyj?

Paul za wszelką cenę starał się ukryć zniecierpliwienie. Siląc się na spokój, odpowiedział:

– Piotra Curie.

– Kogo?

Chociaż podejrzewał, że żona tylko przez złośliwość udaje niewiedzę, starał się nadal odpowiadać spokojnie:

– O nim też mówiłem, i to nieraz. Wielki uczony, mój nauczyciel. Zginął w wypadku.

W tym momencie, według jego relacji, pojawiła się matka Jeanne, by swoim zwyczajem podsłuchiwać rozmowę, wodząc wzrokiem od córki do Paula i z powrotem. Jeanne skwitowała to wyjaśnienie, jak się Paulowi zdawało, niemal z uśmiechem:

– Teraz sobie przypominam. Mąż tej cudzoziemki, tak?

Tego było mu za wiele i podniósł rękę, jakby zamierzał ją spoliczkować. Jak mi powiedział, sam w owej chwili nie wiedział, czy jest zdolny, by to zrobić, czy nie. Ale już ten gest wystarczył, by matka Jeanne przyskoczyła do nich i złapała go za rękę.

Paul Langevin, znany uczony, musiał szarpać się z dwiema kobietami, by móc wyjść z domu i udać się na pogrzeb swego przyjaciela i mistrza.

Musiało upłynąć sporo czasu, zanim Maria zdecydowała się powrócić do pracy w laboratorium, choć było to dla niej męczarnią, bo wszystko tam przypominało jej Piotra. Odczuwała ból niemal fizyczny i początkowo mogła pracować tylko bardzo krótko, ale potrzebowała tego jak powietrza. To stanowiło sens jej życia, toteż odrzuciła z oburzeniem propozycje – składane pewnie w dobrej wierze – przyznania jej czegoś w rodzaju honorowej renty (tak jak wdowie po Pasteurze).

Zdecydowała się natomiast przyjąć inną ofertę – całkowicie bez precedensu, wcześniej niewyobrażalną i możliwą zapewne tylko z powodu szoku po śmierci Piotra Curie. Zaproponowano jej – pierwszej kobiecie w dziejach – katedrę fizyki ogólnej na Sorbonie, opuszczoną przez Piotra. Kobieta wykładowcą Sorbony!

Podjęcie wykładów przez Marię Curie – 5 listopada 1906 roku – stało się sensacją właściwie bardziej towarzyską niż naukową. Aula Sorbony wypełniła się eleganckim towarzystwem, nie zabrakło dam w ozdobnych kapeluszach, oczywiście zjawili się dziennikarze i fotografowie, rozmaitego rodzaju bywalcy, nieopuszczający żadnej okazji, by się pokazać, i niemający oczywiście pojęcia, o czym będzie mowa, trochę Polaków. Niemal zabrakło miejsca dla pracowników naukowych uniwersytetu, nie mówiąc już o studentach, a więc jedynych, którzy może chętnie by posłuchali wykładu o jonizacji gazów.

Usiadłem w pierwszym rzędzie obok Appella, który był tam z urzędu, ale natychmiast umieściła się między nami (by nie powiedzieć „wepchnęła się") nader wytworna dama w bardzo oryginalnym nakryciu głowy – atłasowym toczku, nieco przekrzywionym na bok. Jak się okazało, była to hrabina Greffulhe, ta sama, którą Proust unieśmiertelnił jako księżnę de Guermantes. A toczek uszyła sama. Z drugiej strony sadowiły się niezmiernie przejęte uczennice Marii ze szkoły w Sevres. Na sali panował pełen podniecenia gwar, jak w teatrze przed podniesieniem kurtyny.

Kilka minut przed rozpoczęciem wykładu zaplanowanego na godzinę trzynastą trzydzieści, dziekan Appell podniósł się z miejsca i zakomunikował, że zgodnie z wolą pani Curie wykład nie będzie poprzedzony oficjalnym wprowadzeniem, to jest prezentacją nowego wykładowcy i laudacją na cześć jego poprzednika, jak było w zwyczaju na Sorbonie. Napięcie na sali stało się nie do wytrzymania.

Wreszcie weszła, a raczej wślizgnęła się, jakby chciała stać się niewidzialna, ubrana na czarno Maria, a właściwie – jak przyzwyczajano się o niej mówić – „madame Curie". Wybuchła owacja, co jeszcze bardziej ją onieśmieliło. Stanęła na katedrze, uporządkowała papiery, dopiero po chwili, gdy umilkły oklaski, podniosła wzrok. Cichym głosem zaczęła:

– Gdy się rozważa postępy, jakie uczyniła fizyka w ostatnich latach dziesięciu, uderza zmiana, która zaszła w naszych pojęciach o elektryczności i materii...

Nie wiem, ile osób na tej sali zdawało sobie sprawę, że Maria, bez żadnych wstępów, rozpoczęła wykład dokładnie w miejscu, w którym przerwał go Piotr, ale wzruszenie udzieliło się wszystkim. I to niezwykłe napięcie emanujące z tej katedry aż do końca wykładu i nowej burzy oklasków.

Tak zaczął się nowy etap w życiu Marii próbującej tłumić ból pracą w laboratorium, do której jednak czuła mniejszy zapał niż kiedyś, wykładami, nieustającymi polemikami na temat radu, nad którym wciąż toczyły się dyskusje. Najostrzej spierała się z lordem Kelvinem, starym i apodyktycznym, twierdzącym, że rad w ogóle nie jest samoistnym pierwiastkiem, lecz związkiem chemicznym. Maria – dla której brzmiało to jak osobista zniewaga – nie tylko ostro z nim polemizowała, lecz także uparcie dążyła do otrzymania radu w postaci czystej, co zajęło jej cztery lata, ale w końcu się udało.

Oczywiście dużo czasu starała się poświęcać córkom. Niezadowolona, podobnie jak Piotr, z francuskiego systemu szkolnego, włączyła się w organizację prywatnej szkoły, którą założyliśmy wraz z gronem znajomych – uczyły się tam przede wszystkim nasze własne dzieci, a lekcje prowadzili, bagatela, profesorowie Sorbony i Collège de France.

Jak się później dowiedziałem, także i to towarzysko-edukacyjne przedsięwzięcie stało się zarzewiem kłótni w domu Langevinów, gdyż Jeanne, jak nietrudno było przewidzieć, za nic nie mogła pojąć, po co jej mąż – jeden z nauczycieli – zajmuje się „takimi głupstwami" i jeszcze wciąga w to dzieci.

Te wszystkie sprawy pochłaniały także czas Marii, nie mogły jednak przynieść jej ukojenia. Zawsze ubrana na czarno, sztywna i niemal zawsze milcząca, żyła we własnym świecie, oddzielonym niewidoczną zasłoną. Jej spojrzenie, dotąd tak żywe, stało się jakby puste. Przeniosła się z bulwaru Kellermanna do domu w Sceaux i żyła tam właściwie samotnie. Łatwo się irytowała, nawet wpadała w gniew, szczególnie gdy zawracano jej głowę jakimiś błahostkami. Doprawdy, trudno się dziwić, że wielu ludziom wydawała się wyniosła, a nawet opryskliwa.

My, którzy bliżej znaliśmy i ją, i prawdziwe przyczyny takiego postępowania, nie przestawaliśmy się o nią martwić, bo do tego wszystkiego robiła się coraz słabsza fizycznie, przez te parę lat postarzała się też widocznie, ale i my nie potrafiliśmy przebić skorupy, którą się otoczyła.

Na domiar wszystkiego zmarł doktor Curie, który swą obecnością zdawał się choć trochę łagodzić jej ból, a nadto zapewniał czułą opiekę Irenie i Ewie.

I znów, niemal w niezmienionym składzie, spotkaliśmy się wszyscy nad otwartą mogiłą rodzinnego grobu na cmentarzu w Sceaux. Pojawiło się jeszcze kilku starszych, nobliwych panów – pewnie kolegów zmarłego. Tym razem było pochmurno, mżył deszcz. Maria zabrała ze sobą obie córki. Irena bardzo płakała.

Gdy nadszedł czas, grabarze unieśli trumnę, by spuścić ją do grobu. Nagle stało się coś dziwnego. Maria, stojąca dotąd bez ruchu u boku Jacques'a Curie, podeszła do nich i powiedziała coś, czego z daleka nie usłyszeliśmy. Widać było jednak, jak bardzo ci ludzie, dla których rozmaite formy pogrzebów były chlebem powszednim, są zaskoczeni jej słowami. Postawili trumnę z powrotem na ziemi i chwilę stali, jakby zastanawiając się co dalej.

Wreszcie zabrali się do roboty, a my w osłupieniu obserwowaliśmy, jak z mogiły wydobywają trumnę Piotra, na dno opuszczają trumnę doktora Curie, a potem na nią znów wkładają trumnę jego syna.

Irena płakała coraz głośniej, jakby ten widok dodatkowo ją przeraził. Maria pochyliła się do Jacques'a, który cały czas patrzył na nią pytająco, ale bez słowa. Teraz usłyszałem jej szept:

– Chcę po śmierci być bliżej niego.

W tym momencie pojawił się spóźniony Paul Langevin. Był w meloniku dziwnie zsuniętym na oczy, ale nad grobem musiał go zdjąć. Ze zdumieniem zobaczyłem, że ma posiniaczoną twarz i podbite oko. Zdawało mi się, że Maria też to widzi i odwraca wzrok.

Potem znów wracaliśmy z Paulem pustoszejącą z wolna alejką. Paul z powrotem założył swój melonik, nasunął rondo na oczy. Długo walczyłem ze sobą, zanim zdecydowałem się odezwać:

– Paul, na miłość boską, co się stało?

Langevin zatrzymał się przy jakimś grobowcu. Powoli zdjął melonik. Teraz, z bliska, dobrze było widać siniaki na jego twarzy. Powiedział z wysiłkiem:

– Wszystkim mówię, że spadłem z roweru. – Zrobił długą pauzę. – Ale tobie powiem. Zostałem pobity w domu żelaznym krzesłem.

– W domu? – niemal wykrzyknąłem.

– To nie dom, to piekło. One zatruwają każdy dzień mojego życia.

Zbliżyła się grupa żałobników – tych nieznajomych starszych panów. Paul pośpiesznie włożył melonik i szybko ruszył alejką. Wstrząśnięty poszedłem za nim ku bramie cmentarza.

Jakkolwiek niepokojący był rozwój wypadków w domu Paula Langevina, powodujący u niego depresję i narastające problemy zdrowotne, nasz niepokój o Marię był wciąż na pierwszym miejscu, co wzmogła jeszcze rozmowa z Jacques'em Curie, który, przyjechawszy na pogrzeb ojca, widział ją po dłuższej przerwie i był wstrząśnięty jej widokiem. Wydała mu się „mizerna i wyczerpana", a w dodatku emanował z niej przejmujący smutek, udzielający się otoczeniu.

Z najwyższym trudem udało mi się zaprosić Marię do nas na kolację, na której mieli być także Borelowie. Kierowała nami nadzieja, że we czworo zdołamy ją przekonać, by trochę bardziej zaczęła dbać o siebie, może wyjechała gdzieś, żeby odpocząć. Przede wszystkim należało ją nakłonić, żeby przerwała żałobę trwającą tyle lat i praktycznie oddzielającą ją od świata żywych.

Émile i Marguerite przyszli wcześniej. Czekaliśmy na Marię.

– Jak długo można nosić żałobę? – spytała retorycznie Henriette, poprawiając kwiaty na stole.

– To coś więcej niż żałoba – stwierdziła Marguerite. – Ona się poddała, wyłączyła z życia. Wygląda na dwadzieścia lat więcej, niż ma naprawdę.

– Może to depresja? – włączył się Émile. – Powinna się leczyć? Psychiatria poczyniła ostatnio ogromne postępy. Doktor Freud...

– Najpierw trzeba chcieć się wyleczyć – przerwała mu żona. – A Maria zamknęła się, zasklepiła w swoim rozpamiętywaniu. Jakby umarła dla świata.

– Ona to nazywa „religią pamięci" – przypomniał Émile.

Maria napisała te słowa w liście, w którym odmawiała – wzorem Piotra – przyjęcia Legii Honorowej. Decyzję uzasadniała właśnie „religią pamięci". Nie chciałem, byśmy powitali Marię w nastroju rezygnacji przed dogmatami tej „religii", więc postanowiłem włączyć się do rozmowy:

– Czy wy jednak nie przesadzacie?

– No właśnie – poparła mnie Henriette. – Może to tylko ta czarna suknia?

Ale Marguerite nie ustępowała:

– Przyjrzyjcie się jej, jak przyjdzie: pod tą czarną suknią nie ma życia.

Zapadła cisza.

– Zaczynam się bać, żeby ten stan nie zaszkodził jej badaniom – rzekł po chwili Borel, i dodał sentencjonalnie: – Umysł uczonego powinien być skierowany w przyszłość, a nie na rozpamiętywanie przeszłości, choćby najbardziej chwalebnej...

W tym momencie usłyszeliśmy, jak otwierają się drzwi frontowe. Wszyscy zastygliśmy, wpatrując się w wejście do salonu. Na wszelki wypadek położyłem palec na ustach.

Drzwi się otworzyły, a my osłupieliśmy. Do salonu weszła, a właściwie nawet wbiegła, Maria Curie. Wyglądała młodo, miała uczesane włosy, na sobie jasną suknię z przypiętą w talii różą. Wpatrywaliśmy się w nią, jakbyśmy zobaczyli zjawę.

Maria bez słowa usiadła za stołem. Dopiero teraz podniosła wzrok i dostrzegła nasze miny.

– Spóźniłam się? – powiedziała swobodnym tonem. – Przepraszam.

8

Maria pielęgnowała swoją „religię pamięci" przez całe cztery lata. W tym czasie, co zupełnie zrozumiałe, często widywała się z Paulem Langevinem, bądź co bądź przyjacielem i bliskim współpracownikiem Piotra. Przekazała mu swoje wykłady w szkole w Sevres, a odkąd przeniosła się do domu w Sceaux, często jeździli do Paryża tym samym pociągiem. Mieli wiele okazji do rozmów, ale znając nastrój Marii w tamtym czasie, nie przypuszczam, by kiedykolwiek dochodziło do zwierzeń czy wspomnień.

Paul bardzo przeżył śmierć Piotra. Kilka miesięcy po pogrzebie opublikował w „La Revue du mois", miesięczniku redagowanym przez Marguerite Borel, jedno z najpiękniejszych wspomnień o Piotrze, jakie się kiedykolwiek ukazały. Pisał o nim bardziej jako o człowieku niż jako o uczonym, choć na ten temat miałby tak wiele do powiedzenia:

„Godziny, w których się zwykle go spotykało, gdy lubił rozmawiać o swojej nauce, ulice, po których się z nim razem wracało – przypominają go co dzień, wywołując obraz jego życzliwej, zamyślonej twarzy, świetlistych oczu, pięknej głowy pełnej wyrazu, o rysach jakby wyrzeźbionych przez dwadzieścia pięć lat spędzonych w laboratoriach, przez życie pełne prostoty i uporczywej pracy, przez stałą troskę o moralne piękno, przez elegancję umysłu, który odrzucał wszystko to, co w myślach i czynach nie jest doskonale jasne i zrozumiałe".

Nie wyobrażam sobie, by Maria – zupełnie obojętna na peany ludzi, którzy obudzili w sobie podziw i uwielbienie dla Piotra Curie dopiero po jego śmierci – nie była poruszona tymi słowami.

Myślę też, choć to bardzo śmiałe przypuszczenie, że – mimo wszystkich różnic – młodszy od niej o cztery lata Paul musiał jej na swój sposób przypominać młodego Piotra. Ta sama błyskotliwa inteligencja, głęboka, lecz nie natrętna erudycja i wewnętrzny spokój – choć akurat wtedy często zmącony. Paul był jednym z niewielu ludzi, których towarzystwo nie irytowało Marii i pozwalało jej choć na chwilę przełamać pancerz samotności.

Ale zwrot w ich znajomości nastąpił z zupełnie nieoczekiwanego powodu. Było to na krótkich wakacjach, na które udało się namówić Marię ze względu na dobro córek, w Arromanches bodaj, gdzie wybraliśmy się wszyscy – Maria z córkami, Langevinowie ze swą gromadą oraz Henriette i ja z naszymi dziećmi. Często spacerowaliśmy wspólnie brzegiem morza i właśnie podczas jednego z takich spacerów między Marią i Jeanne Langevin doszło do rozmowy, która – choć wtedy nikt nie mógł tego przypuszczać – spowodowała lawinę wydarzeń. Później, właściwie dopiero teraz, odtworzyłem to wszystko w szczegółach, choć oczywiście nie mogę być pewny każdego słowa.

Rozległa plaża była niemal pusta. Niewielkie fale miarowo uderzały o brzeg. Przodem biegła gromadka dzieci, dla pewności towarzyszyła im Henriette. Za nimi w pewnej odległości szły Maria i Jeanne. Trudno o większy kontrast: Maria w żałobie, milcząca, pogrążona w swoich myślach, Jeanne – ledwie trzydziestoletnia, z wyraźną tendencją do tycia, ubrana może nie krzykliwie, ale dość pretensjonalnie, z parasolką. Ja i Langevin – znów w pewnej odległości – zamykaliśmy ten pochód.

Zapewne Jeanne, z natury gadatliwa, nie mogła się powstrzymać przed „konwersacją” z Marią, nie zwracając uwagi na jej nastrój i biorąc milczenie za przejaw zainteresowania swymi prywatnymi sprawami.

– Nie wie pani, co to znaczy mieć męża, który się w ogóle nie odzywa – mówiła. – Siadamy do obiadu, on przychodzi, siada, je, potem wstaje i odchodzi, jakby był w restauracji, a nie we własnym domu. Doprawdy, aż wstyd przed mamą. Zresztą Paul jej nie lubi. Kiedy mama do nas przychodzi staje się szczególnie opryskliwy. Kiedy go prosiłam, by się zmienił, nazwał mnie „zuchwałą". Nie wiem, czy w pracy też jest taki?

Gdy Maria długo nie odpowiadała, Jeanne powtórzyła głośniej:

– Pytałam, czy w pracy Paul też jest takim gburem jak w domu?

Maria dopiero teraz jakby się ocknęła. Odruchowo obejrzała się za siebie i spojrzała w naszym kierunku.

– Wie pani, ja nie znam go tak dobrze – powiedziała tonem niemal obojętnym.

Jeanne popatrzyła na nią podejrzliwie.

– Przecież nawet jeździcie do pracy tym samym pociągiem.

Najwyraźniej pragnąc zakończyć rozmowę, Maria odrzekła wymijająco:

– Studenci bardzo go lubią. Uważają, że bardzo klarownie wykłada...

Jeanne uśmiechnęła się z satysfakcją, jakby Maria poruszyła jej ulubiony temat.

– Ach, studenci, wykłady... – rzuciła z przekąsem. – Tyle razy mu mówiłam, że w przemyśle zarobiłby dwa razy tyle. Mama jest tego samego zdania. Ale on tylko nauka i nauka...

Maria zatrzymała się nagle, jakby bardzo zainteresował ją leżący na piasku kamień. Kątem oka znów spojrzała na Paula. W tej chwili podbiegły dzieci z jakimiś swoimi ważnymi sprawami. Zresztą trzeba było wracać na obiad.

Zdawałoby się, że gderanie żony Paula powinno nie zrobić na Marii większego wrażenia i szybko ulecieć z jej pamięci. Jednak stało się inaczej i to Maria, z własnej inicjatywy, powróciła do tematu, gdy tylko nadarzyła się okazja.

Jechali razem podmiejską kolejką. W prawie pustym wagonie siedzieli na ławce obok siebie. Za oknami przesuwał się podparyski krajobraz. Nagle Maria, jak zwykle w czerni, podniosła wzrok znad notatek i powiedziała:

– Twoja żona skarżyła się na ciebie.

Paul odwrócił ku niej głowę, wydawało się, że nie dowierza własnym uszom. Ale ona kontynuowała:

– Nazwała cię nawet gburem. Tak trudno ci znaleźć wspólny język z rodziną?

Paul poczerwieniał.

– Ośmieliła się rozmawiać z tobą o naszych prywatnych sprawach? Skarżyła się na mnie?

Maria dopiero teraz zauważyła jego stan.

– Przepraszam, Paul, nie powinnam się wtrącać – rzekła pośpiesznie. – Nie powinnam w ogóle o tym wspominać. Przepraszam.

– Nie, to ona. To ona.

W jego głosie brzmiała taka udręka, że Maria przez chwilę nie wiedziała, jak zareagować, w końcu odezwała się pojednawczo:

– Pewnie trudno jej zrozumieć uczonego, żyjącego w świecie swoich myśli... To nie takie proste dla... takiej kobiety.

– Ach, Mario, gdybyś wiedziała, gdybyś wiedziała!

Jakby obawiając się, że sprawy zaszły za daleko, Maria, nie patrząc na niego, przerwała niemal oschle:

– Nie jestem pewna, czy chcę wiedzieć. To wasze prywatne sprawy.

Ale jego tłumiona rozpacz musiała znaleźć ujście. Wybuchnął:

– Ta kobieta razem ze swoją matką i siostrą zatruwają każdą moją chwilę! I gdyby nie dzieci, gdyby nie dzieci...

Kilku pasażerów odwróciło głowy w ich kierunku. Maria dostrzegła to i odruchowo położyła dłoń na ręce

Paula, by go uspokoić. On pochylił się ku niej i wyszeptał:

– Czy uwierzysz, że przedwczoraj podczas awantury rozbiła mi na głowie butelkę?

Maria, zażenowana tym nagłym wyznaniem, odwróciła twarz ku oknu.

Musiało ono jednak zrobić na niej piorunujące wrażenie. Już następnego dnia przyszła do mojego laboratorium – co nie zdarzało się często – i odwoławszy mnie na bok, zaczęła od razu mówić o Paulu i sytuacji, w jakiej się znalazł (o której ja sam wiedziałem przecież wcześniej, ale nie dawałem tego po sobie poznać). Była bardzo wzburzona, po raz pierwszy od dawna widziałem, że tak przejęła się czyimś losem.

– Czy możemy dopuścić – mówiła – by ten człowiek, jeden z najwartościowszych, jakich znamy i tak bliski mnie i Piotrowi, jego talent, inteligencja, jego wielki umysł – zostały zniszczone przez tę kobietę?

Zwróciłem uwagę na liczbę mnogą: „możemy", „znamy". Ukrywając – także sama przed sobą – swoje prawdziwe uczucia, Maria próbowała przedstawiać rzecz całą jako przejaw przyjacielskiej troski, podzielanej przez więcej niż dwie osoby. Tymczasem nie ulegało wątpliwości, że wchodzą tu w grę o wiele silniejsze emocje, które bardzo szybko zaczęły się przejawiać w mniej czy bardziej ukradkowych spotkaniach i pisanych do siebie listach.

Jakąż naiwnością było sądzić, że to wszystko może ukryć się przed tak zazdrosną i na swój sposób sprytną osobą, jak Jeanne Langevin. Zaczęły się ataki zazdrości. Awantury wybuchały nawet o „wspólne jeżdżenie do pracy". Można je sobie bez trudu wyobrazić.

Ranek. Dzieci Langevinów siedzą na swoich miejscach przy stole. Dwaj starsi synowie wybierają się do szkoły. Jeanne, rozczochrana, w rozmamłanym szlafroku, daje im śniadanie.

Wchodzi Paul, ubrany, dopinając kołnierzyk. Jeanne mierzy go uważnym spojrzeniem.

– A ty dokąd tak wcześnie?

– Jak to dokąd? – rzuca Paul zdawkowo. – Do pracy. Na uczelnię.

Jeanne bierze się pod boki.

– Ty to nazywasz pracą? Za takie grosze? Wziąłbyś się za jaką prawdziwą robotę. Żylibyśmy jak ludzie.

Paul udaje, że nie słyszy. Nalewa sobie kawy z dzbanka. Pije. Jeanne nie daje za wygraną:

– Słyszysz, co do ciebie mówię?

– Muszę iść. Spóźnię się na pociąg.

Rusza w kierunku wyjścia, ale Jeanne uprzedza go: staje w drzwiach, zagradzając mu drogę.

– A dlaczego musisz jechać akurat tym pociągiem? Te swoje wykłady masz dopiero po południu.

Paul zatrzymuje się, nie odpowiada. Na jego twarzy widać zmieszanie.

– Czy przypadkiem nie dlatego – niemal wykrzykuje Jeanne – że jedzie nim także ta cała pani Curie?

– Muszę się przygotować do zajęć.

– I to ci zajmie cały dzień? Ciekawe, co to za zajęcia!

Paul odpowiada, siląc się na spokój:

– Ty tego i tak nie zrozumiesz, Jeanne.

W tej chwili pojawia się jej matka. Jeanne natychmiast zwraca się do niej.

– Słyszała mama? Ja nie zrozumiem! Jestem za głupia, żeby zrozumieć, jakie to „zajęcia" ma mój mąż na mieście całymi dniami!

Matka Jeanne niepokojącym gestem kładzie żylastą dłoń na oparciu żelaznego krzesła. Jedno z młodszych dzieci zaczyna rozpaczliwie płakać. Starsi synowie natychmiast zabierają młodsze rodzeństwo z pokoju.

Paul po chwili wahania bez słowa rejteruje w głąb mieszkania. Maria daremnie czeka na niego na peronie swojej stacji.

Jakkolwiek wyglądały takie sceny, było jasne, że z pomocą matki, a nade wszystko siostry, Jeanne zrobi wszystko, by położyć kres tej „przyjaźni", jak wciąż próbowała określać to Maria. Moja żona, która wtedy odwiedziła Langevinów, była świadkiem takiej rozmowy przy kuchennym stole, wśród talerzy, garnków i wszelkiego nieporządku, gdzie nad filiżankami kawy siedziały matka i starsza siostra Jeanne – pani Bourgeois. Sama Jeanne, wzburzona, zupełnie nie zwracając uwagi na gościa, chodziła po kuchni, gestykulując.

– Już ja potrafię poznać, kiedy coś się święci! – wykrzykiwała. – Niby dlaczego musi nagle chodzić na te swoje wykłady w świeżo wyprasowanej koszuli? Nigdy przedtem tego nie robił, nie zauważał dziury w surducie, a teraz awanturuje się o byle guzik! Zaczął nawet pomadować wąsy!

Matka Jeanne, wymownie spoglądając w kierunku Henriette, zauważyła:

– Pewnie włóczy się po kawiarniach, jak oni wszyscy. Od początku mówiłam, że te uniwersytety to nie są miejsca dla porządnych ludzi.

– Daj spokój, mamo. Tu nie chodzi o kawiarnie, tylko o kobietę.

– Nie masz dowodu, Jeanne – wtrąciła pani Bourgeois.

Henriette przez chwilę myślała, że temat został wyczerpany. Jednak wkrótce usłyszała coś, w co – jak mi potem opowiadała – nie mogła uwierzyć.

Jeanne usiadła na wolnym krześle obok siostry i powiedziała głośno i dobitnie:

– Właśnie o to chodzi, żeby go zdobyć.

9

Wyjechałem wtedy na krótko z Paryża i nie zdawałem sobie sprawy, że w tym czasie Maria i Paul poszli o krok dalej: wynajęli, a właściwie to on wynajął, mansardowe mieszkanie przy rue du Banquier, niedaleko Sorbony, by się tam potajemnie spotykać. W listach nazywali to miejsce *chez nous* – „u nas".

Do dziś z trudem próbuję sobie wyobrazić, jak tych dwoje ukradkiem, rzucając na boki spłoszone spojrzenia, wspina się po wąskich schodach, by paść sobie w ramiona w nieprzytulnym mieszkaniu, byle jak umeblowanym przypadkowymi sprzętami, jak reagują paniką na każdy szmer na klatce schodowej.

Swoją drogą – właściwie dlaczego to takie trudne do wyobrażenia, wręcz dziwaczne czy niestosowne, że ludzie niezwykli, na co dzień przebywający we wzniosłym świecie myśli, do tego nie anonimowi, przeciwnie, szeroko znani, przeżywają takie same porywy uczuć, takie samo fizyczne pożądanie, jak, powiedzmy, strażak i panna sklepowa?

Niedługo potem, w swej nieśmiertelnej powieści Marcel Proust umieścił scenę, w której kawaler de Saint-Loup uświadamia narratora, że kobiety odczuwają pożądanie zupełnie tak samo jak mężczyźni i dla Marcela stanowi to wielki wstrząs. Myślę teraz, że wtedy byliśmy niemal wszyscy, a wielu pozostaje do dzisiaj, takimi Marcelami, którzy chcieliby widzieć w kobiecie – szczególnie mądrej i utalentowanej – jedynie zbiór pojmowanych dosyć po mieszczańsku cnót i zalet, odmawiając jej równocześnie prawa do porywów, jakie z upodobaniem przypisujemy sobie jako „ludzkie".

Einstein powiedział podobno czy napisał do kogoś w liście, że Maria Curie „nie jest aż tak atrakcyjną kobietą, by stać się niebezpieczna dla kogokolwiek". Nigdy nie przychodziło mi do głowy przykładanie do jej powierzchowności tego rodzaju miary. Tym, co przyciągało do niej mężczyzn – Piotra, Debierne'a, mnie, samego Einsteina – był jakiś szczególny magnetyzm, onieśmielający i fascynujący zarazem, niebędący przecież jedynie emanacją intelektu. Einstein w swej refleksji widać nie umiał tego dostrzec, Paul Langevin poddał się mu bez reszty.

Jak bardzo im, dwojgu samotnym wśród innych ludzi, musiała być potrzebna każda ukradziona chwila bliskości *chez nous*: „Nie mogę się doczekać, kiedy znów cię zobaczę, tak bardzo, że nie dbam o kłopoty, które nadejdą" – pisała do niego Maria. Nie „które mogą nadejść", tylko „które nadejdą", a więc nie była to zwykła lekkomyślność, tylko świadomy wybór losu.

Ja też któregoś dnia – ale to już później – wspinałem się po stromych schodach na tę mansardę. Czyniłem to z mieszanymi uczuciami: z jednej strony czułem się trochę jak *voyeur*, wkraczający z butami w najintymniejsze sfery cudzego życia, które powinny pozostać poza zasięgiem wzroku obcego – choćby i bliskiego – człowieka, z drugiej – nie mogłem się przecież powstrzymać od ciekawości, może nawet pewnego dreszczyku emocji – dokładnie z tych samych powodów.

Dostępowałem wszak niezwykle rzadkiego, wyjątkowego zaszczytu: zostałem zaproszony do *chez nous*, co – o ile wiem – nie zdarzyło się żadnemu innemu śmiertelnikowi (poza jednym, który wprosił się sam, ale to inna, późniejsza historia). Maria i Paul trzymali to miejsce w tajemnicy i nikt tam nie bywał w celach towarzyskich. To było ich małe, własne królestwo, *inner sanctum*, gdzie mogli wyzwolić się od oczu i uszu innych ludzi.

Jednakże z biegiem czasu, zaczęli – jak się wydaje – odczuwać potrzebę jakiejś namiastki wspólnego „domu", normalnie funkcjonującego, gdzie się jada obiady i przyjmuje gości. Ponieważ i w tym przypadku należało zachowywać najdalej posuniętą ostrożność, wybór owych gości ograniczył się do jednego, czyli mnie, prawdopodobnie dlatego, że kilkakrotnie dałem im obojgu dowody, że można mi zaufać. Skoro, jak mam chyba prawo mniemać, nie zawiodłem jako powiernik i *postillon d'amour*, zasłużyłem sobie na główną rolę w kameralnym spektaklu „proszona kolacja *chez nous*".

Zapukałem do drzwi. W pierwszej chwili nikt nie otwierał, słyszałem jednak ze środka jakieś szmery (na tych mansardach ściany są bardzo cienkie, wszystko słychać), wreszcie otworzył Paul, dopinając frak. Wszedłem do środka.

Mieszkanie – w rodzaju tych, jakie wynajmują ludzie niezamożni, studenci i artyści – robiło wrażenie nieprzytulnej prowizorki. Nie były w stanie tego zmienić ani kwiatek w doniczce stojącej na parapecie mansardowej lukarny, ani haftowana – we wzory zapewne polskie – poduszka na łóżku zajmującym chyba większą część tego pomieszczenia. Umeblowanie, bardziej niż skromne, składało się z niewielu sprzętów zgromadzonych, zda się, zupełnie przypadkowo.

Nie wiem, czy był to zbieg okoliczności, czy jakaś szczególna forma „doboru naturalnego", że zarówno Maria, jak i Paul – a wcześniej Piotr – niemal zupełnie nie zwracali uwagi na wystrój wnętrz, w jakich przyszło im przebywać. Wszystkie kolejne mieszkania Marii zawsze robiły wrażenie chłodnych i pustawych, umeblowanych tylko najbardziej niezbędnymi sprzętami. Firanki, narzuty, kwiatki, nie mówiąc o bibelotach – należały do zupełnie obcego jej świata.

Mogłem sobie wyobrazić, jak wchodzi do tego – niemal zupełnie pustego – wnętrza po raz pierwszy. Oboje są zdenerwowani. Maria rozgląda się.

– To, dobrze, że tak blisko Sorbony. Będziemy się tu spotykać w każdej wolnej chwili. Tylko trzeba to jakoś urządzić.

Paul drżącymi rękami zapala papierosa.

– Nie miałem do tego głowy. Wynająłem pierwsze mieszkanie z niekrępującym wejściem, jakie się nadarzyło.

– Najważniejsze, że jesteśmy tu u siebie. Jutro moglibyśmy...

Urywa. Słychać głośne kroki na schodach. Maria odruchowo przytula się do Paula, który także jest zaniepokojony, nasłuchuje.

Słychać pukanie do sąsiednich drzwi, głosy, wszystko milknie. Maria i Paul stoją przytuleni.

Bez słowa zaczynają się całować, a potem zdzierać z siebie nawzajem ubrania, walcząc z guzikami, sprzączkami i haftkami. Robią to nerwowo, drżącymi rękami, nieporadnie... Nagle Maria odsuwa Paula, szepcze:

– Zaczekaj.

– Co się stało, Mario? Boisz się?

– Nie, tylko nie mogę uwierzyć.

– Uwierzyć? W co?

Ona odpowiada po chwili:

– Że tu jestem. Że to ja.

Teraz na środku tego wnętrza stoi stół, postawiony tam zapewne specjalnie na tę okazję, nakryty do kolacji. Siadamy przy nim z Paulem. Maria, ubrana w twarzową jasną suknię, na której ma przewiązany kuchenny fartuszek – odkrywczyni nowych pierwiastków, laureatka Nagrody Nobla w kuchennym fartuszku! – przynosi wazę z zupą zza przepierzenia, którym odgrodzona jest maleńka kuchenka.

Jemy zupę, jest wyśmienita. Maria tłumaczy, że to polski przysmak, którego gotowania nauczyła ją matka, bo szanująca się polska kobieta powinna umieć gotować zupy, jeden z fundamentów polskiej kuchni. W takim razie dlaczego nazywa się to „barszcz ukraiński"? Dla nas, Francuzów, szczycących się swą kuchnią, zupy nie są aż tak ważne, toteż nie jest ich wiele w narodowym jadłospisie. Cały świat zna cebulową (gdyby jeszcze umiał ją należycie przyrządzać), poza tym nieśmiertelna *consomme julienne* i specjały regionalne. A o polskich zupach można by rozprawiać godzinami!

Pieczeń na drugie, szczerze mówiąc, nie była już tak smakowita, ale wynagradzało to wino, o które Paul potrafił zadbać jak mało kto.

– Nie miałem pojęcia, że umiesz tak dobrze gotować – powiedziałem, ocierając wąsy chusteczką.

Maria uśmiechnęła się. Jak dobrze było widzieć ją w dobrym nastroju.

– Co w tym takiego dziwnego? Jestem kobietą, matką... A do tego Polką. Nie zapominaj o tym.

Pokręciłem głową.

– Nauka i kuchnia. To trudne do pojęcia.

Maria wstała od stołu. Zabrała nasze talerze i poszła z nimi do kuchenki. Po drodze mówiła, wciąż swobodnym tonem:

– Zapisywałam przepis na konfitury w dzienniku laboratoryjnym, a w dniu wyodrębnienia polonu Irenie wyrżnął się akurat pierwszy ząbek, więc też to tam zapisałam... Zabawne, prawda?

Paul cały czas wodził za nią oczami, ale nie odzywał się, jakby myślał o czymś innym.

– Nie wiem, czy zabawne – powiedziałem. – Świat nie jest chyba jeszcze gotowy do zaakceptowania prawdy, że wielkie odkrycia naukowe mogą się rodzić wśród smażenia konfitur i płaczu dzieci...

Po chwili Maria wróciła z trzema filiżankami herbaty, postawiła je na stole. Paul nagle wziął ją za rękę. Ucałował dłoń, na której wyraźnie widać było niszczące ślady, jakie pozostawiło radioaktywne promieniowanie polonu i radu.

– Świat nie jest jeszcze gotowy na kogoś takiego, jak ty, Mario.

Mówiąc to, miał w oczach coś, czego nie widziałem u niego nigdy przedtem.

Niedługo potem wyszedłem w mrok rue du Banquier. Mój *voyeurism* został zaspokojony, ale nie to wydawało się najważniejsze. Widząc ich razem, utwierdziłem się w przekonaniu, że mają prawo do tego swojego ukradkowego szczęścia i że nie robię błędu, pomagając im w miarę swych możliwości.

Ale to było później. I było tajemnicą.

10

Gdy zaraz po powrocie do Paryża znów zobaczyłem Marię w drzwiach swojego laboratorium, natychmiast poczułem ukłucie niepokoju. Przeczucie mnie nie myliło – była pobladła i roztrzęsiona, powiedziała od razu:

– Martwię się o Paula. Od kilku dni nie mam od niego wiadomości. Nie odpisał na mój list.

Próbowałem wymyślić coś uspokajającego, ale natychmiast mi przerwała:

– Jean, boję się, że jego żona przechwyciła nasze listy. Podobno w przeszłości to się już zdarzało.

Listy. O Boże. Co mogło w nich być? Nie śmiałem o to zapytać, ale Maria, jakby czytając w moich myślach, dodała:

– Dotyczyły... dotyczyły spraw naukowych.

Czułem, że nie mówi całej prawdy. Ale przecież nie mogłem powiedzieć jej tego wprost, spróbowałem więc okrężnej drogi:

– Dlaczego więc Jeanne miałaby je przejmować? Skąd ten pomysł?

Na moment spuściła wzrok.

– Były utrzymane w tonie bardzo... przyjacielskim – zaczęła po chwili z wahaniem. – Wiem, że moja przyjaźń z Paulem złości jego żonę, że robi mu z tego powodu awantury, więc gdyby te listy wpadły w jej ręce...

Nie wiedziałem, co odpowiedzieć. Ale ona chyba nie czekała na moje słowa. Odwróciła się i szybkim krokiem wyszła z laboratorium.

Wtedy o tym nie wiedziałem, ale jeszcze tego samego wieczoru w wynajętym mieszkaniu przy rue du Banquier rozegrała się scena, przy której bladło wykradzenie listów.

Prawdopodobnie leżeli przytuleni, kiedy Paul powiedział cicho:

– Ona grozi, że cię zabije.

Maria zwróciła ku niemu głowę z wyrazem przerażenia w oczach. Nagle uśmiechnęła się.

– Oczywiście żartujesz. Albo ty, albo ona.

– Ona jest do tego zdolna – odrzekł z powagą.

Tak się rzeczy miały, kiedy zgodnie z obietnicą daną Marii udałem się do Fontenay-aux-Roses, przekroczyłem próg domu Langevinów i z kapeluszem w ręce stanąłem w drzwiach salonu. Jeanne przywitała mnie tak, jakby doskonale wiedziała, po co przyszedłem:

– To bardzo nieładna historia, panie Perrin, bardzo nieładna. Zresztą sam się pan przekona, kiedy zobaczy ją w gazetach.

Już pierwsze jej słowa potwierdziły moje najgorsze przypuszczenia. Odezwałem się jednak jak najspokojniej:

– Nie wiem, o jakiej „historii" pani mówi, Jeanne, ale sądzę, że w wielu kwestiach jest pani po prostu przewrażliwiona.

– Przewrażliwiona? – swoim zwyczajem ujęła się pod boki. – A jakby się pan czuł na miejscu kobiety, której mąż znika na całe dnie z wypomadowanymi wąsami?

Musiałem powstrzymać uśmiech:

– To jeszcze o niczym nie świadczy.

Usiedliśmy przy stole, gdzie siedział już ich najstarszy synek Jean, pochylony nad lekcjami.

– Może bym w to uwierzyła, gdyby nie listy – ciągnęła Jeanne.

– Ludzie piszą w listach różne rzeczy. Szczególnie między bliskimi przyjaciółmi...

Ku mojemu zaskoczeniu na te słowa Jeanne wybuchnęła śmiechem. Najwyraźniej humor jej dopisywał.

– Jestem ciekawa, co by pan powiedział, gdyby przeczytał taki list od własnej żony do „bliskiego przyjaciela"?

– Nie czytam cudzych listów. Ale gdyby tak się stało, pewnie starałbym się okazać wyrozumiałość...

Dalej się śmiała, ale już bez cienia wesołości.

– Wyrozumiałość! Dobre sobie! – nagle zwróciła się do Jeana, który miał wtedy, zdaje się, jedenaście lat. – A ty co, Jean? Też weźmiesz sobie kochankę, kiedy dorośniesz?

Chłopiec popatrzył na nią przestraszony, wyglądało, jakby zaraz miał się rozpłakać. Wstałem od stołu.

– Madame Langevin, w imię naszej starej przyjaźni...

– Może i ja okażę wyrozumiałość, jeszcze nie wiem – przerwała mi poważnym tonem. – A teraz żegnam pana, mam dużo pracy w domu.

A więc nic nie wskórałem. Wiedziałem już jednak na pewno, że Jeanne, wraz z matką i siostrą, mają w ręku listy kochanków, moich przyjaciół, i że nie zawahają się ich użyć, by skompromitować Marię i Paula. Uznałem, że skoro Maria mi zaufała, nie mogę tego tak zostawić.

Odwiedziłem Jeanne jeszcze kilkakrotnie, starając się przemówić jej do rozsądku i obserwując zmiany jej nastrojów. W końcu nabrałem przekonania, że się uspokoiła, i wyszedłem nastawiony optymistycznie do dalszego rozwoju wypadków.

Jak bardzo byłem w błędzie, okazało się już wieczorem tego samego dnia. Jadłem kolację na mieście i wracałem do domu dość późno. Na bulwarze Kellermanna światło latarni ledwo przeświecało przez gęste korony drzew. Szedłem wolno ulicą, zmierzając do bramy swojego domu. Już przy bramie, usłyszałem za sobą szybkie kroki. Odwróciłem się i zobaczyłem nadbiegającą kobiecą postać. Kobieta miała rozwiane włosy, odzież w nieładzie. Gdy znalazła się bliżej, ze zdumieniem rozpoznałem w niej Marię. Była blada, jej oczy płonęły.

– Mario, na miłość boską, co tu robisz o tej porze? – wykrzyknąłem. – Co się stało?

– Czekam na ciebie już od kilku godzin, Jean – wyszeptała drżącymi wargami. – Spotkałam ją, spotkałam ją na ulicy, była razem z siostrą...

W pierwszej chwili nie zrozumiałem.

– Kto? Kogo spotkałaś? – Wtedy dotarło do mnie, o kim mówi. – Mój Boże, widziałaś się z Jeanne?

– Groziła mi. Kazała wynosić się z Francji, bo inaczej mnie zabije. Boję się. Boję się, Jean.

Przytuliłem ją. Nie wiedziałem, co powiedzieć. Miałem przed sobą sławną kobietę, błąkająca się w nocy po ulicach niczym tropione zwierzę.

Nie mogłem tego tak zostawić. Spotkałem się z Paulem, który przeżywał wewnętrzne rozdarcie: był równocześnie zakochany i przerażony sytuacją, w której się znalazł, ze wszystkich sił chciał być z Marią, której miłość uważał za upragniony, a zarazem nieoczekiwany dar losu, ale nie mógł opuścić dzieci, które bardzo kochał – i mógł przypuszczać, pewnie nie bez racji, że zostaną mu odebrane w razie rozwodu. Wydawał się sparaliżowany, nie potrafił podjąć żadnej decyzji, odniosłem wrażenie, że o ile mógł jakoś funkcjonować w obecnym stanie niepewności i napięcia, o tyle przerażała go perspektywa zasadniczej zmiany w życiu. Nie mogę ukrywać, że trochę przypominał mi Piotra, który – co prawda nigdy nie został postawiony przed tego rodzaju wyborami – także wolał, by życie samo płynęło obok niego, byle nie musiał w nie ingerować.

Tymczasem, chociaż jak dotąd udawało się zapobiec wypłynięciu pozamałżeńskiego romansu profesora Langevina – i to z kim! – na forum publiczne i wybuchowi skandalu, o całej sprawie wiedziało coraz więcej osób, zarówno w kręgu znajomych Marii i Paula, jak i zupełnie postronnych, informowanych o tym przez Jeanne Langevin, która co najmniej kilku rozmówcom powtórzyła swoje groźby, że „zabije rywalkę". Większość wtajemniczonych, chwała Bogu, zachowywała dyskrecję, dla niektórych było to jednak zbyt trudne.

Biedny André Debierne, cały czas tak blisko Marii, wiedział o wszystkim, ale nie mógł, rzecz jasna, rozmawiać z nią o tym, skoro ona sama się do niego nie zwróciła. Prosił więc Marguerite Borel, by wpłynęła na Paula, aby „nie dręczył Marii swoimi rodzinnymi kłopotami" – tak to ujął. Marguerite, niebędąca wcale w lepszej sytuacji niż on, bo choć też o wszystkim wiedziała, nie była przecież – przynajmniej na razie – powiernicą ani Marii, ani Paula, odpowiedziała mu, że nie może się podjąć tej misji. André postanowił zatem wziąć sprawy w swoje ręce.

Zmrok już zapadał, ale na dziedzińcu Sorbony, w cieniu kopuły, panował wciąż ożywiony ruch. Studenci śpieszyli we wszystkich kierunkach. Plac przemierzał też wielkimi krokami Paul Langevin, zamyślony, jakby nieobecny. Po drodze przez nieuwagę kogoś potrącił, książki i papiery poleciały na bruk. Pochylił się, żeby je podnieść. Nagle usłyszał swoje imię, ktoś za nim wołał, choć niezbyt głośno.

Odwrócił się. Zobaczył, że podchodzi do niego, a właściwie podbiega André Debierne, człowieczek niewielkiej postury, z wiecznie potarganą czupryną, w grubych okularach. Paul, wysoki, postawny, przewyższał go co najmniej o głowę. Trudno było o większy kontrast niż między tymi dwoma mężczyznami.

– Witaj, André – Paul uśmiechnął się przyjaźnie. – Nie w laboratorium? Myślałem, że Maria nie wypuszcza was nawet na chwilę.

– Chodzi właśnie o Marię, Paul – odparł André. – Ona jest u kresu sił.

Paul spoważniał. Patrzył na Debierne'a pytająco, bez słowa. André mówił dalej szybko, jakby chciał to jak najprędzej z siebie wyrzucić:

– Nie mam prawa wtrącać się w wasze prywatne sprawy, ale zależy mi na Marii, to znaczy na jej badaniach i karierze naukowej, toteż...

Urwał, szukał słów. Paul nadal milczał. Przechodnie rzucali im zaciekawione spojrzenia.

– Uważam, że nie powinieneś... – nagle André podniósł głos, który zabrzmiał piskliwie. – Nie wolno ci obarczać jej swoimi problemami! To jest ponad jej siły, ma dosyć własnych! Musi zająć się przede wszystkim sobą, a nie poświęcać się dla kogoś innego tylko dlatego, że życie mu się nie układa!

Paul rozejrzał się na wszystkie strony, zanim pochylił się nad Debierne'em.

– Nie wiesz, o czym mówisz, André – powiedział cicho, lecz stanowczo.

Po czym odwrócił się i odszedł. André, nagle sam na pustoszejącym placu, patrzył za nim bezradnie.

Podobnie czułem się ja po kilkukrotnych próbach pojednawczych rozmów z Jeanne Langevin. W niektórych brała udział także jej siostra, a w jednej – szwagier, czyli pan Bourgeois, co bynajmniej nie polepszało sytuacji. Niemniej po pewnym czasie udałem się do Sceaux, by złożyć Marii sprawozdanie z tych dyplomatycznych zabiegów.

Siedzieliśmy przy stole w niewielkim salonie nad filiżankami herbaty. W głębi mieszkania Irena odrabiała lekcje. Skądś dobiegały dźwięki gam, wygrywanych na fortepianie przez Ewę. Maria wyglądała mizernie, jakby przybyło jej lat. Kiedy trzymała ręce na stole, wyraźnie widoczne były poparzenia od kontaktu z substancjami radioaktywnymi. Mówiłem przyciszonym głosem:

– Byłem znów u Jeanne, Mario. Rozmawiałem z nią, z jej matką i siostrą.

Przez twarz Marii przebiegł skurcz wyglądający na grymas.

– Doceniam twoje poświęcenie, Jean – odrzekła spokojnie, choć nie kryjąc ironii.

– Najpierw były obie bardzo podniecone, krzyczały jedna przez drugą. Dopiero tam, w tym domu, zrozumiałem, jak trudne musiało być to małżeństwo dla Paula i jak cenna jest dla niego twoja przyjaźń.

Maria przypatrywała mi się intensywnie, w milczeniu. Przez chwilę panowała cisza.

– W końcu jednak się uspokoiły, szczególnie Jeanne. Odniosłem wrażenie, że najgorsze minęło. Jeanne i jej rodzina jest gotowa na... zawieszenie broni.

Maria aż drgnęła, ale widziałem, że za wszelką cenę stara się opanować.

– O ile wiem, każdemu zawieszeniu broni towarzyszą warunki – powiedziała.

– Ona zobowiązuje się nie grozić ci więcej i nie szantażować skandalem. – Nie było mi wcale łatwo mówić dalej: – Ale Paul miałby nie spotykać się z tobą, nawet w celach naukowych.

– To jest właśnie szantaż, Jean.

A więc i ona, z polskim uporem, nie zamierzała godzić się na żaden kompromis, mimo niebezpieczeństwa, jakie jej zagrażało. Próbowałem jednak dalej, choć z malejącym przekonaniem:

– Mario, ja też uważam, że najlepiej by było, gdybyś teraz gdzieś wyjechała. Jesteś zmęczona i rozdrażniona tym wszystkim, a tak czas zrobiłby swoje...

W tym momencie do salonu weszła Irena z zeszytem w ręce i zwróciła się do Marii:

– Me, nie potrafię rozwiązać tego zadania.

Maria spróbowała się uśmiechnąć. Znów wyszedł jej z tego grymas.

– Na pewno potrafisz, tylko tego nie wiesz. Pokaż.

Irena podsunęła jej zeszyt. Wstałem od stołu.

– Dziękuję za polską herbatę, Mario. Zobaczymy się jutro w laboratorium.

Podniosła na mnie wzrok.

– Dziękuję, Jean. Jesteś prawdziwym przyjacielem.

Mówiąc o „wyjeździe", miałem rzecz jasna na myśli wyjazd gdzieś dalej – może do Polski? – i na dłużej, tak, by zejść z oczu najbardziej zajadłym wrogom i poczekać, aż sprawa przycichnie. Lecz to by oznaczało całkowitą rozłąkę z Paulem i na to Maria nie chciała, nie mogła się zgodzić.

Jedyne, na co udało się nam, razem z Henriette, ją namówić, to wyjazd do Bretanii, do l'Arcouest, maleńkiej wioski, która była ulubionym – i skrzętnie ukrywanym przed niewtajemniczonymi – miejscem wakacji naszym i Borelów, i jeszcze niewielkiej, dobranej grupki profesorów Sorbony, a od pewnego czasu także Marii z córkami. Tam chodziliśmy na spacery na wysoki klif z czerwonych skał, by popatrzyć na spienione fale w dole, a wieczorami, przy lampie, słuchaliśmy zwierzeń Marii, która najwyraźniej czuła ich potrzebę tak silną, że teraz przybierały formę długiego monologu. Rzecz jasna, dotyczył on Paula i ich „przyjaźni".

Mówiła, że popchnął ich ku sobie „potężny instynkt", tak silny, że w niej przezwyciężył nawet „religię pamięci", sprawił wręcz, że związek z Paulem wydał się z nią niesprzeczny, jego zaś wydobył z depresji spowodowanej domowym piekłem, jakie przeżywał na co dzień. Bardzo podkreślała intelektualną stronę tego związku, wzajemne dopasowanie, owocujące pełnym zrozumieniem i rokujące jak najlepiej na przyszłość. Wynikała z tego wprost nadzieja Marii, że w niedługim czasie Paul zdecyduje się na rozwód, bądź przynajmniej na separację, i będą mogli być razem.

Zdawała sobie jednak sprawę, że może to być bardzo trudne. Mimo całego zauroczenia, była świadoma tego, że Paul bardzo kocha czworo swoich dzieci i za nic nie chce ich utracić, i że jest – mimo wszystko – na swój sposób przywiązany do żony. Znała też jego słabość: ów lęk przed gwałtownymi zmianami w życiu, wymagającymi radykalnych decyzji. Snuła więc plany możliwie łagodnego rozwiązania małżeństwa Paula z Jeanne, zakładającego nawet, jako „mniejsze zło", jego zgodę na chwilowe pozostawienie dzieci przy matce – z nadzieją, że i tę kwestię da się jakoś uregulować później.

Obawiała się jednak, że Jeanne będzie próbowała za wszelką cenę zatrzymać Paula przy sobie, używając wszelkich form szantażu, od łez, na które – o czym wiedziała – był tak czuły, po umyślne zajście w ciążę. Ta ostatnia możliwość niepokoiła Marię szczególnie, gdyż uważała, że to by ją upokarzało, a nawet ośmieszało, toteż bardzo jej zależało na jak najszybszej separacji Langevinów od łoża.

Martwiła się też – co było jak najbardziej racjonalne i sam podzielałem tę obawę – że przedłużający się kryzys małżeński i atmosfera jego domu będą miały fatalny wpływ na pracę naukową Paula, a w konsekwencji na jego przyszłość jako uczonego.

Któregoś dnia po takiej „rozmowie" Maria poczuła się nie najlepiej i położyła wcześniej. Przed pójściem spać Henriette zajrzała do niej, chcąc sprawdzić, czy wszystko jest w porządku. W małej sypialni panował mrok, paliła się tylko jedna lampka przy łóżku, w którym leżała Maria. Wokół na pościeli porozrzucane były listy i koperty (niemal na pewno listy od Paula). Henriette przysiadła na brzegu łóżka, pytając Marię, czy czegoś jej nie trzeba.

Maria chwyciła ją za rękę.

– Powiedział mi: „Nie mogę żyć bez twojej miłości" – odezwała się nagle drżącym głosem. – Henriette, jeśli wiesz, że mężczyzna, który ci to mówi, jest jednym z najinteligentniejszych, jacy w ogóle istnieją, czy możesz odmówić mu pomocy?

Mówiła szybko, nerwowo, wyrzucając z siebie to, co dusiła w sobie od dłuższego czasu. Henriette zaskoczona i – jak mi potem powiedziała – nieco zażenowana, milczała.

– Boję się, że on w końcu ulegnie naciskom i wyrzeknie się czystej nauki. Nie wolno do tego dopuścić. On jest geniuszem!

Mocniej ścisnęła rękę wstrząśniętej Henriette.

– Trzeba go uratować przed samym sobą. On jest słaby.

Nazajutrz, dowiedziawszy się, że będę wcześniej wracał do Paryża w swoich sprawach, Maria zasiadła do pisania listu, który miałem zawieźć Paulowi. Zamierzała w nim zawrzeć to wszystko, co – jak się wyraziła – „przedyskutowaliśmy", choć prawdę rzekłszy, ani ja, ani Henriette nie mówiliśmy podczas tych wieczorów zbyt wiele. Zajęło jej to kilka godzin, prawie cały dzień, zapisała drobnym pismem wiele stronic. Gdy skończyła, włożyła to wszystko do koperty, którą zakleiłem i schowałem do teczki.

Następnego dnia oddałem list Paulowi. Odebrał go ode mnie drżącymi rękami. W owej chwili nie wiedziałem, że list, którego treści nie znałem, trafi tam, gdzie Paul trzymał całą korespondencję od Marii, a więc do szuflady szafki nocnej, zamykanej na mały kluczyk, stojącej przy łóżku *chez nous*, czyli w ich wynajętym mieszkaniu przy rue du Banquier.

Wiedziałem za to na pewno, że uczucie łączące tych dwoje jest czymś zupełnie innym niż to, co było udziałem Marii w związku z Piotrem. Tamto dawało spokojną, czułą, nieco roztargnioną pewność, której nic nie mąciło, to – namiętność, którą przeszkody i niebezpieczeństwa tylko potęgowały i umacniały.

Ale jeszcze zanim opuściłem l'Arcouest, zostawiając tam Henriette z Marią i dziećmi, listonosz dostarczył świeżą prasę, na którą zdążyłem tylko rzucić okiem. Na szczęście nie zauważyłem żadnych rewelacji o romansie „madame Curie". Mignęła mi za to niewielka notatka, na którą w owej chwili nie zwróciłem większej uwagi: Zmarł Désiré Gernez, członek Akademii Francuskiej.

Maria natomiast długo i uważnie wpatrywała się w ten nekrolog, jakby czytała go kilka razy.

11

– Czy dobrze to przemyślałaś, Mario? – spytałem, bez większego przekonania.

Było to w jej „biurze" przy laboratorium. Maria siedziała przy swoim biurku w fotelu obróconym ku środkowi pokoju, gdzie, przy niewielkim, zarzuconym papierami stoliku tkwiliśmy z Borelem na niewygodnych taboretach.

Odpowiedziała spokojnie:

– We Francji jest teraz troje laureatów Nagrody Nobla, dwóch z nich już zasiada w Akademii. Uważam, że nadszedł mój czas. Czy to takie dziwne?

Émile, jak zwykle impulsywny, nie wytrzymał:

Maria Curie w swoim „biurze"

– Akademia Francuska nigdy jeszcze nie przyjęła do swego grona kobiety!

– Może dotąd nie pojawiła się kobieta, która byłaby tego godna?

Wymieniliśmy spojrzenia. Widząc nasze zakłopotanie, Maria lekko się uśmiechnęła.

– Naprawdę nie sądzicie, że i na to przyszła wreszcie pora?

Pokazała nam papier leżący na biurku.

– Zresztą Brillouin pisze, że z formalnego punktu widzenia nie ma przeszkód, żeby przyjąć kobietę, więc?

Zapadła cisza. Wreszcie, z niejakim ociąganiem, zdecydowałem się odezwać:

– Ale... akurat w takim momencie?

Wyraz twarzy Marii natychmiast się zmienił. Przebiegł przez nią grymas gniewu.

– Mam pozwolić, żeby magiel, urządzany przez tę kobietę, przysłonił moje dokonania naukowe?

Jej nagły wybuch sprawił, że obaj z Borelem wbiliśmy wzrok w podłogę.

– Tak by postąpił Langevin, może nawet Piotr, tak...

Maria urwała raptownie, próbowała się uspokoić. Wstaliśmy z miejsc, a ona odwróciła się w stronę biurka, jakby nagle bardzo zainteresowały ją leżące tam papiery.

Édouard Branly w swojej pracowni

– Zresztą zobaczycie – rzuciła przez ramię. – To głosowanie, to będzie czysta formalność.

Zamknęliśmy za sobą drzwi „gabinetu". Dalej, przez inne otwarte drzwi, widać było wnętrze laboratorium i pracujących w nim ludzi. Émile nie mógł się otrząsnąć po tym, co usłyszał.

– Ona nie zdaje sobie sprawy, że to nie będzie sprawa naukowa, tylko narodowa. Przecież wcale nie chodzi o to, że nie jest mężczyzną, tylko o to, że nie jest w dostatecznym stopniu Francuzką!

– Boję się, że chodzi i o jedno, i o drugie – odpowiedziałem. – Przecież jej kontrkandydatem jest Branly. Nie tylko stuprocentowy Francuz, lecz także profesor Instytutu Katolickiego. To będzie wojna.

Maria Curie, kiedy Jeanne Langevin – z pomocą matki i siostry – wykradała jej listy i groziła, że ją zabije, nie zaniechała przecież całkowicie działalności naukowej. Międzynarodowy Kongres Radiologii i Elektryczności w Brukseli, skupiając w jednym miejscu największe sławy ówczesnej fizyki, powierzył jej – bo komuż innemu! – choć sprawiała wówczas wrażenie chorej, opracowanie wzorca radu, który miał zostać zdeponowany, podobnie jak wzorzec metra, w Sevres pod Paryżem. Maria z zapałem wywiązała się z tego zadania, niejako przy okazji wyznaczając, jeśli można tak w uproszczeniu powiedzieć, jednostkę pomiaru promieniowania radu, nazwaną na cześć Piotra – „curie".

W tym czasie badacz angielski Ramsay, odkrywca nowych gazów w atmosferze, wystąpił z kilkoma teoriami dotyczącymi promieniotwórczości, co wywołało ożywioną polemikę w świecie nauki, a co Maria odebrała niemal jak osobistą zniewagę i nie spoczęła, póki nie obaliła twierdzeń Ramsaya – których szczegóły sobie tu daruję – choć wymagało to wielu bardzo skomplikowanych i czasochłonnych doświadczeń chemicznych.

Ukazało się też jej dwutomowe dzieło *Traktat o radioaktywności*, stanowiące summę wiedzy o tej nowej dziedzinie, którą stworzyła wraz z Piotrem; podstawą książki były wcześniejsze wykłady Marii na ten temat. Co prawda, postęp nauki w tamtym czasie – bowiem najznaczniejsze umysły świata dosłownie rzuciły się na radioaktywność, co doprowadziło je stopniowo aż do jądra atomu – był tak szybki, że trudno całkiem odmówić słuszności nieco złośliwej opinii Rutherforda (który akurat przygotowywał książkę na ten sam temat i Maria go uprzedziła), że „biedna kobieta napracowała się okropnie, a te dwa tomy będą użyteczne przez rok albo dwa". Niemniej w chwili ukazania się było to dzieło epokowe.

Wszystko to jednak nie tłumaczy, dlaczego Maria Curie akurat w tym momencie zdecydowała się wysunąć swoją kandydaturę do Akademii Nauk na miejsce opróżnione przez śmierć fizyka i chemika Désirégo Gerneza. Akademia – ten bastion konserwatywnej nauki francuskiej – jak słusznie zauważył Émile Borel, nigdy w swej historii nie przyjęła do swego grona kobiety! Ba, kobiety nie miały nawet wstępu na jej publiczne posiedzenia.

Oficjalnym strojem akademika był zielony, bogato haftowany frak z ceremonialną szpadą u boku – nikt nigdy nawet nie pomyślał, jak miałby wyglądać jego odpowiednik dla kobiety. W ogóle nie brano takiej potrzeby pod uwagę. Niemniej Brillouin miał rację, kiedy pisał do Marii, że „formalnie nie ma przeszkód". Ale budować na tym nadzieję na nagłą zmianę wiekowej tradycji, obyczajów, nawyków myślenia, zwykłych uprzedzeń? I to w takim momencie, gdy w każdej chwili mogły wyjść na jaw kompromitujące szczegóły życia prywatnego kandydatki?

W dodatku, przypomnijmy, kontrkandydatem Marii na wakujące miejsce w Akademii był Édouard Branly, profesor Instytutu Katolickiego. Człowiek już niemłody (jak większość członków Akademii) – dość powiedzieć, że jego kariera naukowa zaczynała się, gdy Maria

Skłodowska była jeszcze małym dzieckiem w Polsce. Zajmował się falami elektromagnetycznymi. Największym jego osiągnięciem naukowym były prace nad telegrafem bez drutu, które wykorzystał potem Marconi w konstrukcji urządzeń emitujących fale radiowe na wielkie odległości – co skłoniło patriotycznych czy raczej nacjonalistycznych publicystów do twierdzenia, że radio jest wynalazkiem Francuza.

Branly, osobiście przyzwoity, spokojny i poważny człowiek, mógł istotnie służyć za wzór Francuza-katolika. Nie tylko był religijny, ale w swoim czasie – nota bene z pobudek dość zbliżonych do tych, jakimi kierował się Piotr Curie, krytykując oficjalny system edukacji – opuścił Sorbonę, by wykładać w Instytucie Katolickim. Jego zwolennicy sugerowali później, że naukowy „establishment" – oczywiście pozostający na usługach wolnomyślicieli, ateistów, obrońców Dreyfusa, cudzoziemców, a nade wszystko Żydów – nie mógł mu wybaczyć tej „zdrady".

Jednak rywalizacja Curie–Branly nie od razu rozpaliła umysły. Zgłoszenie kandydatury Marii Curie do Akademii najpierw stało się przedmiotem zajadłych polemik o charakterze – jeśli można tak powiedzieć – międzypłciowym, dotyczących nie tylko podstawowej kwestii, czy kobieta może zasiadać w Akademii, lecz także tego, czy gdyby się tak stało, byłoby to źle, czy dobrze dla samych kobiet.

Takie postawienie sprawy brzmi dzisiaj absurdalnie, wszelako wówczas, w 1911 roku, liczne wpływowe panie, w tym głośne pisarki, całkiem serio zastanawiały się, czy kobieta powinna rezygnować ze swej w istocie „uprzywilejowanej" pozycji – jako osoby, która nie ma żadnych konkretnych obowiązków, poza tym, by wyglądać pięknie, i wokół której skaczą mężczyźni, zaspokajając jej zachcianki – na rzecz rozmaitych „męskich" zajęć, ujmujących jej płci powabu.

Popularna powieściopisarka, pani Marie Louise Antoinette Régnier, publikująca swe dzieła pod męskim pseudonimem Gerard d'Houville, co tłumaczyła rozbrajająco: „Książka napisana przez kobietę winna być równie kobieca, jak jej torebka, i jeżeli nawet podpisana jest męskim nazwiskiem, to jest ono niczym maska, pod którą można dojrzeć niewinny, kokieteryjny uśmieszek małych usteczek", ujmowała to mniej więcej w ten sposób:

> Nie wolno zrównywać kobiety i mężczyzny! Im bardziej się od nich różnimy, tym bardziej jesteśmy sobą. Równa mężczyźnie! Same te słowa już brzmią przerażająco! Niweczą wszystko, co stanowi o gracji, uroku,

pięknie, fantazji, znoszą wszelkie przywileje, obalają naszą tyranię, dają nam prawa, te osławione prawa, które zabraniają nam naszych kaprysów...

Gdyby pani Régnier nie pisała tych słów, lecz wygłaszała je na jakimś kobiecym zgromadzeniu, nietrudno byłoby wyobrazić sobie reakcję słuchaczek: wybucha wrzawa, jedne klaszczą, inne się śmieją, jeszcze inne oburzają. Mówczyni podnosi głos i „małymi usteczkami" przekrzykuje hałas:

– *Mesdames*, nie wolno wam zostawać członkami Akademii!

Tak więc, o dziwo, linia podziału w tej kwestii nie przebiegała wyłącznie między kobietami i mężczyznami. Rzecz jasna, liczne panie popierały kandydaturę Marii, widząc w tym znak postępu, wielu mężczyzn też opowiadało się „za" – począwszy od sekretarza Akademii Gastona Darboux, który publicznie przedstawił jej kandydaturę – ale większość nie dopuszczała takiej myśli, traktując ją jak herezję. Niektórzy z nich zasiadali w samej Akademii.

Naukowe zasługi „madame Curie" podważano rzadko – choć i to się zdarzało – zapewne dlatego, że mało to obchodziło szeroką publiczność – powoływano się najczęściej na uświęcony tradycją zwyczaj, choć pojawiał się także argument, że... Maria Curie osiągnęła już za dużo i jej starania o członkostwo Akademii są przejawem arogancji.

Wydawca wpływowego dziennika „L'Intrasigeant" Léon Bailby pisał tak:

> Zgłaszając swoją kandydaturę, pani Curie wykazała brak umiaru, który nie jest właściwy jej płci. Obraziła w ten sposób wielu uczonych, którzy podziwiali przecież jej osiągnięcia. Co do opinii publicznej, to stała się ona także nieprzyjazna kandydatce. Uważa się, że ta kobieta, niegdyś tak popularna, posunęła się za daleko w walce o nagrody i honory...

Jeśli pominiemy pokrętność tej argumentacji, zwraca w niej uwagę wzmianka o „walce o nagrody i honory". Dotyczy ona kobiety, która, o ile mnie pamięć nie myli, o żadne nagrody nigdy nie „walczyła" – choć otrzymała ich wiele, wraz z Noblem, ale tę wraz z dwoma mężczyznami, co może ją „usprawiedliwiać" – a Legię Honorową – czyli „honor", odrzuciła bez wahania.

Tym bardziej jednak, mówiąc obiektywnie i z perspektywy wielu lat, zastanawiająca jest, a nawet niepojęta rzeczywista „walka", na jaką się zdecydowała w tym przypadku, dając łatwą pożywkę swoim wrogom.

Publicznie wyrażony apel Marii, by jej kandydatura nie była komentowana w prasie, świadczył albo o naiwności, albo o oderwaniu od rzeczywistości.

Sama Akademia, która zajęła się kwestią „kobiecej kandydatury" na plenarnym posiedzeniu (chodziło o zasadę, nie osobę), osiemdziesięcioma pięcioma głosami do sześćdziesięciu opowiedziała się za utrzymaniem tradycji, czyli niedopuszczeniem kobiety do swego grona. Było to zgromadzenie nad wyraz liczne – pojawiło się niemal dwa razy tylu akademików niż zazwyczaj, włącznie z księciem Monaco Albertem, który został swego czasu członkiem Akademii jako uznany oceanograf – i burzliwe.

Poza samym meritum salę podzielił także problem natury formalnej: Institut de France, zwany potocznie Akademią, sięgający swymi korzeniami jeszcze XVII wieku, lecz ukonstytuowany po rewolucji, dzielił się w istocie na pięć niezależnych Akademii, przypisanych do poszczególnych gałęzi nauk i sztuk. Była więc – zapewne najważniejsza – Akademia Nauk Ścisłych (do której aspirowała Maria), ale też Akademia Nauk Moralnych i Politycznych, Literatury i tak dalej.

Poszło o to, jakie ciało powinno przyjmować nowych członków: czy cała Akademia na posiedzeniu plenarnym, czy poszczególne Akademie branżowe na swoich zgromadzeniach, jak to było w zwyczaju dotychczas. Akademia Nauk Ścisłych zażarcie broniła swej autonomii i w końcu stanęło na dotychczasowym rozwiązaniu, co oznaczało, że decyzja plenarnego zgromadzenia nie jest dla niej wiążąca i prawdziwe wybory – dotyczące konkretnych osób, dopiero się odbędą.

Gdy zaczęto zgłaszać pozostałych kandydatów (w sumie siedmiu), stało się jasne, że ostateczny wybór dokona się między Marią Curie i Branlym. No i wtedy się zaczęło. Francja znów się podzieliła: po jednej stronie stanęli „prawdziwi Francuzi", po drugiej – „przybłędy", „mieszańcy", Żydzi i inne równie podejrzane indywidua; po jednej katolicy, po drugiej – ateiści, protestanci, „hugonoci" i inni bezbożnicy; po jednej męscy szowiniści, po drugiej – wojujące feministki; wreszcie po jednej oskarżyciele Dreyfusa, po drugiej – jego obrońcy.

Maria odwiedziła nas któregoś dnia z egzemplarzem „L'Action Française" pod pachą. Poprosiła, bym jej przeczytał pewien artykuł, gdyż zostawiła okulary w laboratorium. Usiedliśmy wraz z Henriette przy stole w salonie, służąca podała herbatę, którą nauczyliśmy się pić w naszym domu, odkąd bywała u nas Maria. Autorem artykułu był Léon Daudet, intelektualna gwiazda prawicowej prasy, znany zarówno z inteligencji i ciętego pióra, jak i z zajadłej nienawiści do wszystkiego, co nie zgadzało się z jego skrajnymi poglądami.

– „Dreyfus kontra Branly" – czytałem teraz. – „Ależ tak! Dreyfus kontra Branly. Taka jest w istocie dziwaczna walka, która dzisiaj toczy się w Akademii Nauk Ścisłych pod fałszywą przykrywką: Maria Curie kontra Branly...". Czytać dalej?

– Oczywiście, Jean. Proszę – powiedziała Maria.

Była niezwykle opanowana, jakby te ociekające jadem słowa w ogóle jej nie dotyczyły. Wzruszyłem ramionami.

– Jak chcesz. „Imbecyle, którzy twierdzą, że sprawa Dreyfusa została pogrzebana, niech się dowiedzą: ta sprawa żyje nadal, owa heroiczna walka narodowego geniuszu z obcym demonem, który na każdym polu – mody, sportu, literatury, teatru, muzyki, nauki, życia towarzyskiego, politycznego i gospodarczego – wciąż się odradza...".

Moja żona nie wytrzymała.

– Nie, tego doprawdy za wiele! – wykrzyknęła. – Geniusz narodowy walczy z obcym demonem także na polu mody? Czy naprawdę musimy tego słuchać?

– Jeśli Maria sobie życzy...

– Życzę sobie – odrzekła Maria z niezmąconym spokojem.

Posłałem żonie bezradne spojrzenie i kontynuowałem lekturę:

– „Jest to klika ciemna, głównie semicka i hugonocka, która swą wrogość i stronniczość ukrywa pod płaszczykiem znakomitych dzieł bądź pozornie naukowych kłamstw...".

Dreyfus! Znowu Dreyfus! Każdy, kto chciał wykrzyczeć swoją nienawiść do tego, co było mu obce, natychmiast sięgał po to nazwisko i wracał do „sprawy". I do tego Maria Curie – przybyła z katolickiej Polski (choć sama religijnie obojętna) jako przedstawicielka „semickiej i hugonockiej kliki".

Pięć lat wcześniej (niemal dokładnie dwa miesiące po śmierci Piotra Curie) Najwyższy Trybunał Wojskowy Republiki Francuskiej uniewinnił kapitana Dreyfusa, uwalniając go ostatecznie i raz na zawsze od winy i kary za rzekome szpiegostwo i uznając wszystkie stawiane mu zarzuty za sfabrykowane. Jednoznacznie stwierdzono, że prawdziwym szpiegiem w armii był major Esterhazy. Alfred Dreyfus został zrehabilitowany, przywrócony do służby czynnej, awansowany do stopnia majora i odznaczony Legią Honorową (jakby to mogło mu wynagrodzić lata spędzone na Wyspie Diabelskiej i tułaczkę po innych więzieniach).

A mimo to w tym kraju żyły tysiące, ba, może nawet miliony ludzi, nie wyłączając poważnych intelektualistów, które wciąż wierzyły, że Dreyfus był winny, a jego zwolennicy, czyli „dreyfusardzi", stanowili zakałę Francji. Co więcej, natychmiast stawiano znak równości między przekonaniem o niewinności Dreyfusa (zdawałoby się raz na zawsze udowodnionej) a „semickimi" knowaniami. I teraz ta obłędna argumentacja powracała w sporze o to, czy Maria Curie zasługuje na członkostwo w Akademii, czy też nie.

Ona sama – podobnie jak Piotr – wydawała się mało interesować „sprawą Dreyfusa", w każdym razie nigdy nie zabierała głosu na ten temat. O wiele bardziej – poza, oczywiście, zagadnieniami naukowymi – zajmowały ją wieści z Polski niż resentymenty po przegranej przez Francję wojnie z Prusami, narastająca fala nacjonalizmu i antysemityzmu, i w ogóle bieżąca polityka francuska. Ale okazało się, że nie ma od niej ucieczki, nawet jeśli odkryło się rad i otrzymało Nagrodę Nobla.

Jak na to wszystko reagowały szerokie kręgi społeczeństwa, tak zwani zwykli Francuzi? Wyobrażam sobie Jeanne Langevin, jak siedzi przy stole w salonie, czytając gazetę, co idzie jej z niejakim trudem – jest to oczywiście „L'Action Française". Gdy wchodzi Paul, Jeanne triumfalnym gestem rzuca gazetę na stół i wstaje.

– Tutaj masz prawdę o tej twojej madame Curie. To nie tylko cudzoziemska przybłęda, ale i Żydówka!

– Co ty wygadujesz?

– To, co słyszysz – ona na to. – Udaje wielką uczoną, a to tylko sprytna Żydówka!

– Jak śmiesz?!

Podbiega do niej, łapie ją za ręce, jakby chciał uciszyć. Jeanne zaczyna się z nim szarpać. Do salonu wpadają dzieci. Płacz. Dwaj starsi synowie próbują odciągnąć ojca od matki. Pojawia się teściowa w szlafroku, z rozwianymi siwymi włosami. Jak furia zmierza w kierunku Paula...

Tymczasem Akademia Nauk Ścisłych ogłosiła listę kandydatów na miejsce wakujące po Gernezie; Maria Curie figurowała na pierwszym miejscu. Teraz członkowie Akademii mieli tydzień, by się nad tymi kandydaturami zastanowić. W tym czasie, jak nakazywał zwyczaj, kandydaci powinni prowadzić swoistą „kampanię wyborczą", przede wszystkim składając kurtuazyjne wizyty akademikom i zabiegając o ich głosy. Nie było jednak we Francji przyjęte, by kobiety składały wizyty mężczyznom, pomijając już to, że Marię bardzo trudno byłoby do tego namówić. W związku z tym zwyczajowe wizyty składali w jej imieniu przyjaciele –

członkowie Akademii, przede wszystkim Gaston Darboux, który niezmiennie optymistycznie podchodził do perspektywy jej wyboru.

Posiedzenie wyborcze Akademii Nauk Ścisłych wyznaczono na dwudziestego czwartego stycznia. Publiczność, podobnie jak przy okazji doktoratu Marii, od rana szturmowała wejście, jednak tylko po to, by się dowiedzieć, że samo głosowanie nastąpi po południu, więc eleganckie towarzystwo musiało wysłuchać szeregu naukowych referatów, którymi bynajmniej nie było zainteresowane.

Sala posiedzeń wypełniona była po brzegi. Jednak publiczność stanowili wyłącznie mężczyźni, zgodnie z obyczajami Akademii kobiet nie wpuszczono. Zabrakło także, co oczywiste, samej Marii Curie, przecież, można powiedzieć, bohaterki dnia. Było duszno. Ktoś zemdlał i musiano wynieść go z sali. Pod ścianami, a jakże, czuwały w pogotowiu tłumy dziennikarzy.

Rozejrzałem się po sali i na uboczu, wmieszanego w tłum gapiów, zobaczyłem Paula Langevina. Może zaczynałem już wpadać w obsesję, wręcz paranoję, ale wydało mi się, że znów widzę, tak jak kiedyś, sińce na jego twarzy.

Na sali zapanowało poruszenie. Wkroczył długi rząd akademików, dokładnie w liczbie pięćdziesięciu ośmiu – w uroczystych strojach – zielonych frakach, przy szpadzie. Zajęli swoje miejsca. Oczywiście wyłącznie mężczyźni, na ogół w podeszłym wieku. Przewodniczący Gautier zasiadł na podwyższeniu i zarządził głosowanie. Podczas liczenia głosów napięcie na widowni sięgnęło zenitu. Kiedy Gautier ponownie podniósł się z miejsca, w wielkiej sali zapadła taka cisza, że można by usłyszeć przelatującą muchę. Przewodniczący przemówił:

– Ogłaszam wynik głosowania. Przypominam, że bezwzględną większość stanowi trzydzieści głosów.

W tym momencie urwał, zajrzał do protokołu. Napięcie na sali, o ile to możliwe, wzrosło jeszcze bardziej.

– Pan Édouard Branly uzyskał dwadzieścia dziewięć głosów, pani Maria Curie – dwadzieścia osiem. Jeden głos padł na pana Marcela Brillouina. Wobec nieuzyskania przez żadnego z kandydatów wymaganej większości, zarządzam ponowne głosowanie.

Niedługo potem wchodziłem powolnym krokiem do laboratorium Curie. Musiałem przejść przez salę laboratoryjną, skąd asystenci i laboranci w pośpiechu i ukradkiem wynosili wielki bukiet kwiatów. Przed „gabinetem" spotkałem André Debierne'a, może nawet bardziej rozczochranego niż zwykle. Nie musiałem nic mówić , wystarczyła wymiana spojrzeń. We dwóch weszliśmy do środka.

Maria, nagle postarzała, ubrana w szarą prostą suknię, siedziała bez ruchu w swoim fotelu. Powoli obróciła się ku nam. Musieliśmy mieć bardzo zakłopotane miny.

– Branly – powiedziałem, rozkładając ręce.

Pokiwała głową, jakby przytakując tej wiadomości.

– Można się było tego spodziewać. Po czymś takim – podniosła gazetę leżącą na blacie stołu, włożyła okulary – „Maria Curie nie miała żadnych osiągnięć w dziedzinie fizyki do czasu, kiedy wyszła za mąż, a po śmierci męża również nie dokonała niczego istotnego".

Do tej pory wydawało mi się, że nie brała do siebie tego, co wypisywały gazety. Teraz głos jej drżał.

– Mario... – chciałem coś powiedzieć, ale mi przerwała, niemal z gniewem:

– Kogo tu upokorzono? Tylko mnie czy mnie i Piotra, nas oboje? Albo to (podniosła inną gazetę): „Z aplauzem przyjęto lekcję cierpliwości i pokory, jakiej udzieliła jej Akademia...".

– Nie można przejmować się tym, co wypisują pismacy... – André miał łzy w oczach.

Na chwilę zapadła cisza. W końcu Maria, wstając z miejsca, stwierdziła rzeczowo:

– Ja wiem, że to jeszcze nie koniec.

12

Któregoś wieczoru, około Wielkiejnocy, ktoś gwałtownie do nas załomotał. Popatrzyliśmy na siebie z Henriette zaskoczeni nieoczekiwaną wizytą, gdy służąca otwierała drzwi.

Niespodziewany gość, bez zapowiedzi, od razu wszedł do salonu i wystarczył mi jeden rzut oka na pobladłą twarz Paula Langevina, by wiedzieć, że musiało się stać coś złego.

Natychmiast wziąłem go pod ramię i zaprowadziłem do gabinetu, by nie krępował się obecnością Henriette, gdyby chciał mówić o swoich prywatnych sprawach. Zanim zdążyłem cokolwiek powiedzieć, odezwał się pierwszy:

– Czy mogę u ciebie nocować, Jean?

Było to pytanie tak nieoczekiwane, że przez chwilę milczałem osłupiały. Przestraszyłem się, że może potraktować to jak wahanie.

– Ależ oczywiście, Paul – odrzekłem pośpiesznie. – Ale... dlaczego, co się stało?

– Nie mogę tam wrócić. Po tym, co mi zrobiły...

Urwał, w samą porę, by się nie rozpłakać. Podszedłem do kredensu, wydobyłem butelkę koniaku i kieliszki.

– Siadaj i powiedz mi wszystko spokojnie. U nas możesz mieszkać tak długo, jak chcesz.

Nalałem, a Paul osunął się na fotel.

– Wykradły... nasze listy – wyjąkał.

– Twoje i Marii? Wykradły? – Przypomniałem sobie list, który Maria tak długo pisała w l'Arcouest i który sam mu doręczyłem; wiedziałem przecież, że nie jest to list dotyczący „spraw naukowych". Ale dodałem mimo wszystko: – Przecież to się zdarzało już wcześniej.

– Teraz... to co innego – odparł, odwracając wzrok.

– Ale jak to się stało?

– Ktoś włamał się do naszego *pied a terre* i zabrał wszystko.

Zaświtała mi nadzieja.

– Ktoś? – powiedziałem szybko. – To skąd pewność, że to... twoja żona? Może to zwykłe włamanie?

– Nie zginęło nic oprócz tych listów.

– Które wyście trzymali w szufladzie. – Pokręciłem głową z niedowierzaniem.

– Nie wierzyłem, że są do tego zdolne. – Wydało mi się, że znów ma łzy w oczach.

Wypiliśmy koniak. Paul trochę się uspokoił, a ja uznałem, że tego wieczoru i tak nic już nie da się zrobić, więc trzeba zjeść kolację i iść spać. Przy kolacji, gdy służąca przygotowywała dla niego pokój, Paul niemal się nie odzywał, a moja taktowna żona o nic nie pytała. Ja natomiast wiedziałem, że jak najszybciej muszę rozmówić się z Marią i ostrzec ją przed konsekwencjami tego zdarzenia.

Ktoś mnie jednak uprzedził. Bo kiedy po południu dotarłem do Sceaux – nie chciałem z nią rozmawiać w żadnym miejscu poza domem – zastałem Marię w stanie wielkiego wzburzenia. Okazało się, że zupełnie niedawno odwiedził ją pan Henri Bourgeois, szwagier pani Langevin, i bez ogródek poinformował, że Jeanne jest w posiadaniu jej korespondencji.

– Czy mówił, do czego zamierzają jej użyć? – spytałem.

– Chyba nie tak trudno się domyślić – odpowiedziała. Wyglądała na zupełnie zrezygnowaną. – Wspomniał, że „będzie z tego skandal".

A więc Jeanne Langevin *et consortes* mieli swoją „amunicję", bez wątpienia teraz jeszcze cięższego kalibru niż kiedykolwiek wcześniej. Maria była osobą publiczną i ujawnienie jej miłosnej korespondencji z pewnością wywołałoby skandal. Ich groźby nie były ani trochę przesadzone. Pozostawało pytanie, kiedy zdecydują się tej amunicji użyć.

Na razie, o dziwo, zapadła cisza. Paul mieszkał u nas nie dłużej niż dwa tygodnie i wrócił do domu, głównie ze względu na dzieci, z których jedno zachorowało. Rzec można, wszystko toczyło się zgodnie ze scenariuszem przewidywanym przez Marię podczas naszych rozmów w l'Arcouest, przed którym zapewne przestrzegała Paula w liście. Jednym z tych, które teraz miała w rękach jego żona.

Była to jednak cisza przed burzą. Wkrótce w rodzinie Langevinów doszło do kolejnej awantury, zapewne połączonej z wymianą obelg, a być może i z rękoczynami, po której Paul znów ponownie opuścił dom, tym razem zabierając ze sobą dwóch starszych synów. I znów zjawił się wraz z nimi u nas, ale nie po to, by mieszkać, lecz by zakomunikować, że wyjeżdża z chłopcami na dawno zaplanowane wakacje: – Przyśpieszyłem tylko trochę wyjazd – wyjaśnił – i zostawię pięćset franków z prośbą o przekazanie ich Jeanne.

Jednak ten jego – przyznajmy, dość raptowny – wyjazd, skłonił drugą stronę do działania. Pan Bourgeois powiadomił mnie listownie, że skoro „pan Langevin porzucił rodzinę", zabierając w dodatku dzieci, jego żona zdecydowała się na wniesienie sprawy rozwodowej, co nieuchronnie musiało oznaczać ujawnienie listów Marii i Paula. Nie miałem wyjścia, musiałem natychmiast spotkać się z panią Bourgeois.

Do spotkania doszło w lokalu raczej niewyszukanym, zapewne uczęszczanym przez okolicznych robotników. Za oknami lał deszcz. Usiedliśmy przy stoliku w kącie. Moja rozmówczyni, w strojnym kapelusiku i sukni w złym guście, wyglądała na pewną siebie. Cała ta sytuacja była dla mnie wyjątkowo krępująca. Próbowałem jednak konwersować tonem swobodnym:

– Rozwód, sprawa w sądzie, to jednak ostateczność...

Przerwała mi natychmiast:

– A czego się pan spodziewał, mój panie? Pan Langevin porzucił rodzinę, w dodatku zabierając dwoje dzieci. Czy pan wie, co przeżyła moja biedna siostra? Dziwi się pan, że szuka sprawiedliwości w sądzie?

– Rozumie pani jednak, że rozprawa sądowa oznacza wyciągnięcie wszystkich rodzinnych spraw na widok publiczny.

– Moja siostra nie ma nic do ukrycia – odrzekła z godnością pani Bourgeois. – To raczej pan Langevin powinien się obawiać. On i pani Curie. Zdaje się, że to o nią się pan tak martwi, panie Perrin.

Chciałem uniknąć tego tematu, ale po tym jednym zdaniu zorientowałem się, że upokorzenie Marii może być dla Jeanne i jej rodziny ważniejsze niż samo „ukaranie" Paula i odzyskanie dzieci.

– Pani Curie jest wybitną uczoną, osobą powszechnie znaną... – powiedziałem ostrożnie.

Znów mi przerwała:

– I dlatego wolno jej krzywdzić moją siostrę, zabierać jej męża?

– O ile wiem, profesor Langevin wyprowadził się z domu z powodu... z powodu nieporozumień...

– Pozostawiając prawowitą małżonkę i małe dzieci bez środków do życia.

Sięgnąłem do kieszeni, wyjąłem pękatą kopertę, położyłem na stole.

– Paul prosił mnie, abym przekazał to Jeanne na utrzymanie dzieci.

Pani Bourgeois natychmiast chwyciła kopertę, otworzyła ją, szybko, ale skrupulatnie przeliczyła banknoty.

– Pięćset franków. Pan chyba żartuje.

– I tak musiał je pożyczyć – dodałem. – Ale jeśli to za mało, jestem pewny, że wkrótce...

Pani Bourgeois schowała kopertę do torebki, dopiła resztkę anyżówki z kieliszka i wstała. Ja także się podniosłem.

– Lepiej by było dla niego i dla niej, żeby to „wkrótce" nie potrwało za długo.

Wzięła parasolkę i oddaliła się z godnością. „Lepiej dla niej" oznaczało w jej ustach Marię Curie.

I rzeczywiście, za tymi pieniędzmi wkrótce poszły następne. I choć łożenie na utrzymanie czwórki dzieci było czymś naturalnym, w tym przypadku można powiedzieć, że Paul – w obawie przed ujawnieniem listów, co zaszkodziłoby przede wszystkim reputacji Marii – po prostu opłacał się swoim wrogom.

Czynił to głównie pieniędzmi pożyczonymi, ponieważ nigdy nie dorobił się własnego majątku – co zarzucała mu żona – natomiast wydawanie tego, co miał, przychodziło mu nader lekko.

Mniejsze i większe sumy, wypłacane rodzinie Jeanne w formie haraczu – a czasem także niby to „pożyczek" dla państwa Bourgeois, oczywiście bez żadnego pokwitowania – Paul pożyczał od Marii. Myśleli pewnie oboje, że w ten sposób kupują sobie trochę spokoju. Ona sama wysłała córki do Polski i szukała zapomnienia w pracy. Jednak, jak w każdym przypadku szantażu, kupiony czas był krótki, a spokój pozorny.

Tymczasem Irena i Ewa wróciły z Polski do Paryża, a dwaj synowie Paula – do domu, czyli w objęcia stroskanej matki. Sam Paul tym razem nie powrócił na łono rodziny. Przedłużająca się cisza sprawiła, że Maria – kontynuująca przecież swoją codzienną naukową działalność – postanowiła udać się do Brukseli na Konferencję Solvayowską.

Konferencja Solvayowska w Brukseli w 1911 roku. Maria Curie siedzi przy stole między Perrinem i Poincare'em; jako ostatni z prawej stoją Einstein i Langevin

13

Było to wielkie zgromadzenie uczonych z całej Europy, zorganizowane (wówczas po raz pierwszy, potem wielokrotnie powtarzane) i sfinansowane przez Ernesta Solvaya, belgijskiego przedsiębiorcę z naukowym zacięciem, który dorobił się znacznego majątku na nowej technologii wytwarzania węglanu sodowego, bardzo potrzebnego w przemyśle. Solvay interesował się nowymi koncepcjami w fizyce, szczególnie fizyką kwantową Einsteina i Plancka, i postanowił zaprosić do Brukseli uczonych, mniej czy bardziej zajmujących się tą tematyką, by przedyskutować te zagadnienia. Oczywiście nie mogło wśród nich zabraknąć Plancka, Einsteina i Rutherforda. Z Francji wybierali się tam między innymi – prócz Marii Curie – Henri Poincaré, Marcel Brillouin, Paul Langevin i ja.

Spotkaliśmy się wszyscy na peronie Gare du Nord, gdzie stał już pociąg z tabliczkami „Paris–Bruxelles". Nie było tylko Paula (zaczynałem się martwić, że coś się stało i w ostatniej chwili zrezygnował z wyjazdu), ale Maria wyglądała na spokojniejszą, jakby ucieszoną tym, że może oderwać się od wszystkich paryskich kłopotów i spędzić trochę czasu wśród ludzi nie tylko życzliwych, lecz przede wszystkim dzielących z nią zainteresowania.

Wsiedliśmy do pociągu i rozlokowaliśmy się w przedziałach. Wszyscy dobrze się znali, co nie znaczy, że często widywali, toteż tematów do rozmów nie brakowało. Nastrój był ożywiony, niektórzy poważni naukowcy zachowywali się wręcz jak dzieci, które bez kurateli rodziców wyruszają na szkolną wycieczkę. Nie muszę dodawać, że siedzieliśmy w jednym przedziale z Marią. Paula ciągle nie było widać, nabierałem pewności, że już się nie pojawi.

Konduktor dał sygnał gwizdkiem, buchnęła para, na peronie odprowadzający zamachali chusteczkami. Pociąg powoli ruszył. I właśnie wtedy drzwi naszego przedziału otworzyły się. Wszyscy odruchowo spojrzeli w ich stronę. Nagle zapadła cisza. W drzwiach przedziału stał Paul Langevin z torbą podróżną w ręce.

Maria, jak my wszyscy, patrzyła na niego. Ich spojrzenia na moment się spotkały. I wtedy, mimo że w przedziale było wolne miejsce, Paul bez słowa zamknął drzwi i odszedł.

Konferencja brukselska była bardzo interesująca, oczywiście dla specjalisty, toteż nie zamierzam jej tutaj relacjonować. Langevin i ja wygłosiliśmy referaty, Maria brała żywy udział w dyskusji, choć często wyglądała na zmęczoną i kilka razy nawet opuściła obrady. Oboje z Paulem, choć otoczeni przyjaciółmi, wyraźnie unikali się nawzajem, zapewne nie chcąc dawać powodu do plotek.

Zapamiętałem jednak, że kiedy Paul wygłaszał swój referat, Maria nie tylko była obecna na sali, ale i z nadzwyczajnym zainteresowaniem chłonęła każde słowo. Siedziałem niedaleko, toteż widziałem – i słyszałem – wyraźnie, jak w pewnym momencie zajmujący miejsce obok niej Einstein pochylił się do jej ucha i powiedział donośnym szeptem:

– Langevin nie tylko wie, o czym mówi, ale potrafi to klarownie wyrazić. To prawdziwy geniusz, droga Mario. – I dodał z figlarnym uśmiechem: – Jestem pewny, że sformułowałby sam teorię względności, gdyby ktoś już tego wcześniej nie zrobił.

Twarz Marii rozjaśnił uśmiech, jakiego już dawno u niej nie widziałem.

Nadszedł dzień powrotu do Paryża. W przedziale kolejowym rozsiadło się mniej więcej to samo towarzystwo, co w czasie podróży w tamtą stronę. Wszyscy – nie wyłączając Marii – w dobrych humorach. W pewnym momencie pochyliła się ku mnie i, na tyle głośno, by wszyscy słyszeli, zapytała:

– Wiesz, co powiedział Einstein o twoim referacie o ruchach Browna?

Potrząsnąłem głową, a inni nadstawili uszu. Z uśmieszkiem w kącikach warg Maria dokończyła:

– Najpierw go pochwalił, ale nie byłby sobą, gdyby nie dodał czegoś o twojej gestykulacji: „Profesor Perrin jest sam godnym podziwu przykładem ruchów Browna".

Wszyscy się roześmiali. Ja też nie mogłem się powstrzymać od uśmiechu, także dlatego, że widziałem ją w tak dobrym nastroju. W tym momencie w drzwiach przedziału stanął konduktor z naręczem gazet i zawołał donośnie:

– Prasa francuska!

Wyciągnęły się liczne ręce. Konduktor rozdał gazety.

Maria i ja (i nie my jedni) wzięliśmy do rąk egzemplarze „Le Journal". Na pierwszej stronie tej poczytnej gazety widniało jej duże zdjęcie, a obok fotografia

Paul Langevin i Albert Einstein

Paula. Wielki tytuł głosił: Historia miłosna. Pani Curie i profesor Langevin.

W przedziale zapadła grobowa cisza. Wszyscy mieli wzrok spuszczony, jakby bali się spojrzeć na Marię. Nie sposób jednak, by – podobnie jak ja – nie przeczytali pierwszych zdań tekstu, zamieszczonego poniżej:

> Ognie radu, który promieniuje tajemniczo na wszystko, co go otacza, zrobiły nam niespodziankę: wznieciły pożar w sercach uczonych, którzy z uporem studiują jego działanie. Tymczasem żona i dzieci uczonego toną we łzach...

14

A więc następny krok został zrobiony. Prywatna, wręcz intymna historia dwojga ludzi, znana dotąd niezbyt licznemu – choć stale się powiększającemu – gronu wtajemniczonych, stała się sprawą publiczną.

Prawdopodobnie Jeanne Langevin rozwścieczył „wspólny" wyjazd Marii i Paula do Brukseli i postanowiła przystąpić do ataku. Być może jednak inicjatorką tej publikacji była jej matka, gdyż dalszy ciąg artykułu w „Le Journal" miał formę „wywiadu" właśnie z nią. Dziennikarz gazety, niejaki Fernand Hausner, udał się w tym celu do Fontenay-aux-Roses, opisanego poetycko jako „małe miasteczko pełne uroczych ogrodów" i tam zapukał do drzwi domu, w którym „jeszcze trzy miesiące temu mieszkał profesor Collège de France". Otworzyła mu „starzejąca się kobieta z bardzo małym dzieckiem na kolanach" (litościwie pominiemy ten *lapsus lingue* pana Hausnera) – matka Jeanne, teściowa Paula Langevina.

Na podstawie tekstu mogłem sobie łatwo wyobrazić, co było dalej. Matka Jeanne, zapewne odświętnie ubrana, by nie powiedzieć wystrojona, rozsiadła się w wyściełanym fotelu w kolorowe kwiaty. Przed nią, na krześle, przycupnął pan Hausner, skwapliwie notujący w kajecie.

– Rozeszły się niesłychane pogłoski – zaczął – że profesor Langevin opuścił dom rodzinny, by pójść za panią Curie. Przyjechałem więc, aby z pani ust usłyszeć dementi tej historii.

Jego rozmówczyni wydawała się zdumiona tym pytaniem i „pozwoliła dziecku zsunąć się z jej kolan".

– A więc już o tym wiedzą? – wyszeptała.

– Czyżby to było prawdą? – nie dawał za wygraną dziennikarz.

Kobieta westchnęła głęboko i rozpoczęła swój monolog, z którego Hausner starał się nie uronić ani słowa, by wiernie przedstawić je swoim czytelnikom:

– Nie do wiary, nieprawdaż? Wdowa po Piotrze Curie, wielka uczona, która współpracowała przy odkryciu radu, która jest profesorem Sorbony i o mało co nie znalazła się w Akademii Francuskiej, słynna pani

Curie zabrała męża mojej córce, ojca moim wnukom! Pan Langevin był uczniem Piotra Curie. Po śmierci mistrza oddał się do dyspozycji wdowy, pomagając w jej pracach, powoli przyzwyczaił się bywać częściej u pani Curie niż w domu. Bardzo szybko – kobiecy instynkt nigdy nie zawodzi – córka zaczęła coś podejrzewać, aż pewnego dnia dowiedziała się o wszystkim. Ach, te potworne godziny! Te straszne dni! W końcu pan Langevin wyjechał z dziećmi...

Czytając te słowa, ja, który wielokrotnie miałem do czynienia z tą panią, usiłowałem sobie ją wyobrazić, wygłaszającą podobnie górnolotne tyrady. Ale czujność dziennikarza natychmiast sprowadziła mnie – i pozostałych czytelników – na ziemię. Przerwał bowiem ten monolog pytaniem:

– I z panią Curie?

– Tego nie wiem – odrzekła zatroskana teściowa i babcia – ale jedno jest pewne, że w czasie, kiedy on wyjeżdżał, ona także opuszczała Paryż...

– Czy wie pani, gdzie znajduje się pan Langevin? – dociekał dalej.

– Nie mamy pojęcia.

– Czy pani Langevin zamierza wnieść sprawę rozwodową?

Tu matka Jeanne westchnęła, pełna matczynej troski.

– Wciąż ma nadzieję, że mąż do niej wróci – odpowiedziała – i jej ognisko domowe się odrodzi. Rozumie pan, kiedy się ma dzieci...

– A jeżeli pan Langevin nie wróci?

– Wtedy zobaczymy. Nie podjęłyśmy jeszcze decyzji.

Sprawa jest jasna. Paul Langevin, ojciec dzieciom (w relacji pana Hausnera sześciorga, podczas gdy w rzeczywistości było ich czworo) porzucił rodzinę, uciekając w nieznanym kierunku ze starszą od siebie wdową, panią Curie. Ale dziennikarz kryje w rękawie jeszcze jednego asa:

– Podobno mają panie w ręku listy pani Curie? – pyta znienacka.

I znów jego rozmówczyni jest zaskoczona:

– Ach, i o tym także panu powiedziano. Więc tak, mamy te listy. One są dowodem tego, co podejrzewałyśmy, nie mogąc tego udowodnić...

Milknie, przybierając zbolały wyraz twarzy. A dziennikarz „Le Journal" dalej pisze z zapałem:

„Chciałbym wiedzieć, co mówią pani Curie i pan Langevin o tej bolesnej historii, chciałbym, żeby krzyczeli: – To pomyłka, oszustwo, nie ma ani słowa prawdy w tym, co panu naopowiadano! – Ale pani Curie nie można nigdzie znaleźć i nikt nie wie, gdzie przebywa pan Langevin...".

To był początek. Najcięższa artyleria nie została jeszcze wytoczona. O listach wzmiankowano, ale ich nie opublikowano, ani nawet nie zacytowano. „Amunicja" była wciąż trzymana na sposobniejszą okazję.

Ale dla prasy ta sensacyjna miłosna historia z nauką w tle była zbyt smakowita, by dać jej spokój. Gazety, od brukowców do tych, które zdawały się mieć poważniejsze ambicje, rzuciły się na nią jak zgłodniałe lwy na pierwszych chrześcijan. Oczywiście prym wiodły te, które nie tak dawno atakowały Marię Curie za zamiar znalezienia się w ławach Akademii, a wcześniej odegrały główną rolę w napaściach najpierw na samego Dreyfusa, a później na Emila Zolę i wszystkich, którzy odważyli się stanąć w jego obronie.

Nie mogło w tym chórze zabraknąć „Le Petit Journal", który miał mniejszy nakład niż „Le Journal", ale starał się go prześcignąć w zjadliwości swych kampanii, od sprawy Dreyfusa poczynając. Artykuł zatytułowano mało oryginalnie: *Flirt w laboratorium: romans pani Curie i pana Langevina*, a zaczynał się on następująco:

> O romansie wiedzieliśmy od kilku miesięcy. Milczelibyśmy jednak nadal, gdyby nie wczorajsza plotka, że główni bohaterowie tej afery uciekli, jedno porzucając

żonę i dzieci, drugie wyrzekając się swych książek, laboratorium i sławy.

Cóż za sprytne sformułowania: a więc „ucieczka", to jednak „plotka", co nie zmienia faktu, że miejsce ma „afera". Skąd znaliśmy ten język?

Poniżej znajdował się obszerny wywiad z Jeanne („kobietą we łzach, przerażoną zgiełkiem, jaki wywołało jej małżeńskie niepowodzenie"), która zwierzała się:

> Gdybym rzeczywiście była głupią, zazdrosną wariatką, jak się o mnie mówi w pewnych kręgach, wykrzyczałabym wszem i wobec zdradę mojego męża i tej, która zburzyła mój dom. Milczałam, ponieważ moim obowiązkiem jako matki i żony było ukrywać wady tego, którego nazwisko noszę. Cały czas miałam nadzieję, że uda mi się go odzyskać...

A co gazeta komentowała:

> Podczas gdy ta biedna i nieszczęśliwa kobieta, której serce krwawi z powodu niezasłużonych ciosów, mówiła to wszystko, jej najmłodsza córeczka, urocze dzieciątko, tuliła się do matki, jąkając się: „Nie płacz, *maman, petit père* powróci!".

Czyż można się dziwić, że tak namalowany obraz chwycił za serca tysiące francuskich kobiet, żon i matek? Sytuacja rysowała się jeszcze wyraźniej: po jednej stronie nieszczęśliwa, opuszczona żona z czwórką dzieci, marząca jedynie o zachowaniu domowego ogniska, po drugiej – zimna i wyrachowana kobieta, grzejąca się w blasku sławy (w podtekście – niezasłużonej, gdyż należała się jej zmarłemu mężowi), w dodatku cudzoziemka, która bezceremonialnie odbiera jej prawowitego małżonka.

Ani słowa o tym, że Maria Curie sama była matką dwojga dzieci. Ani słowa o tym, że redaktorem „Le Petit Journal" był Henri Bourgeois, szwagier poszkodowanej, a więc człowiek osobiście zainteresowany, znający treść prywatnej korespondencji, wykradzionej podczas zwykłego włamania, którą mógł dowolnie wykorzystywać.

W owym czasie we Francji nie istniała żadna ochrona prywatności i gazety mogły pisać o każdym wszystko, na co im tylko przyszła ochota, nie narażając się na żadne konsekwencje. Tym bardziej intrygujące jest to, że zaledwie cztery dni po publikacji autor artykułu w „Le Journal", który zapoczątkował całą burzę, Fernand Hausner, publicznie odwołał większość swoich twierdzeń, oznajmiając, że został wprowadzony w błąd, i bardzo pokornie poprosił Marię o wybaczenie. „Jestem okrutnie ukarany przez tortury, jakie znoszę na myśl o wyrządzonej Pani krzywdzie" – napisał. Ale machina poszła już w ruch.

Z dzisiejszej, a szczególnie amerykańskiej, perspektywy patrząc, wydaje się niemal zabawne, wręcz groteskowe, jak bardzo ludzie gotowi są zabiegać o to, by ich nazwiska, a lepiej jeszcze fizjonomie ukazały się w prasie, co jest powszechnie uznawanym synonimem sukcesu i powodzenia. Nawet gdyby nazwisko i fotografia miały ukazać się publicznie w kontekście największej zbrodni – zawsze byłaby w tym strona pozytywna w postaci popularności. I pomyśleć, że jeszcze niedawno niektórzy z obawą sięgali po poranną gazetę, w nadziei, że może tym razem oszczędzone im będzie oglądanie własnej twarzy i opisów rzekomych postępków. A taki właśnie był w tym czasie los Marii Curie i Paula Langevina.

Zastanawiałem się wtedy nieraz, czy echa tej „sprawy" docierają do jej rodzinnej Polski, a jeśli tak, jak są tam przedstawiane i komentowane; sama Maria nigdy nie wykazała tym najmniejszego zainteresowania. I dopiero niedawno otrzymałem odpowiedź, gdy ktoś znajomy nie tylko pokazał mi, ale i przetłumaczył notatkę zamieszczoną dokładnie wtedy w polskim piśmie pod dziarskim tytułem „Naprzód". Okazało się, że Polacy zajęli w tej kwestii stanowisko o wiele bardziej przytomne niż większość prasy francuskiej:

> O p. Curie-Skłodowskiej, słynnej odkrywczyni radu i profesorce Sorbony paryskiej, przyniosły w sobotę dzienniki awanturnicze wiadomości. Wedle nich miała p. Curie uciec ze swym asystentem p. Langevinem, z którym od dłuższego czasu miała utrzymywać stosunki miłosne, mimo że p. L. jest żonatym i ojcem kilkorga dzieci. Jak ostatnie wiadomości z Paryża podają, całe to doniesienie nie ma najmniejszej podstawy. P. Curie nie uciekła z Paryża, lecz wyjechała do Brukseli na konferencję fizyków. Pogłoskę o ucieczce puściła w świat teściowa Langevina do spółki z jego żoną, podobno histeryczką. Z drugiej strony uważają tę pogłoskę jako manewr celem uniemożliwienia p. Curie ubiegania się o Nagrodę Nobla i miejsce w Akademii Francuskiej.

Niezależnie od zupełnie fantastycznych nieścisłości, uwagę zwraca – chyba właściwe Polakom – wysnucie z działań Jeanne Langevin i jej matki teorii spiskowej, wykraczającej poza sprawy rodzinne. Podobno inna polska gazeta napisała nawet, że obie panie wynajęły kogoś, by „dokonał zamachu na życie p. Curie". Wnosiło to do sprawy powiew, chciałoby się powiedzieć, „awanturniczy" – ale cóż, w Paryżu polskich gazet nikt nie czytywał i byliśmy skazani na te, które znajdowały się pod ręką i codziennie sączyły swój jad.

W tej sytuacji Maria postanowiła zabrać głos. Poprosiła mnie o pomoc w zredagowaniu oświadczenia, które zamierzała opublikować w stosunkowo umiarkowanej gazecie „Le Temps". Zasiadłem przy biurku, a ona, nerwowo chodząc po moim gabinecie, dyktowała mi następujące słowa:

– Wtargnięcie prasy i obcych ludzi w prywatne życie uważam za zasługujące w najwyższym stopniu na potępienie. Owo wtargnięcie...

Podniosłem głowę.

– Może lepiej byłoby: naruszenie prywatności.

– Owo naruszenie prywatności jest szczególnie karygodne, gdy dotyczy osób, które poświeciły się działalności o charakterze wyższym, mającej na celu dobro ogólne.

Urwała, okrążając stół, zajrzała mi przez ramię. Po chwili kontynuowała:

– Absurdalne pomówienia, związane z moim rzekomym zniknięciem z panem Langevinem, zmuszają mnie do wyrażenia najdalej posuniętych zastrzeżeń co do ścisłości i prawdziwości publikowanych na mój temat informacji...

Redagowaliśmy dalej tekst, ale przed moimi oczami wciąż uparcie stawała scena, jaka nieuchronnie musiała się rozegrać następnego ranka w domu Langevinów.

Cała rodzina przy śniadaniu. Oprócz dzieci jest Jeanne, jej matka i pani Bourgeois, która czyta na głos poranne wydanie „Le Temps". Przed nią piętrzą się inne gazety, gdyż ich lektura jest obecnie w tym domu główną rozrywką.

– „W moim postępowaniu nie znajduję niczego, co mogłoby przynosić mi ujmę. Nic więcej nie dodam. Choć wiele wycierpiałam, dotąd nie pozwałam nikogo do sądu. Jednakże odtąd z całą bezwzględnością będę pozywała do sądu wszystkie gazety, publikujące teksty, które miały jakoby wyjść spod mojego pióra, oraz zawierające tendencyjne twierdzenia na mój temat. Zamierzam też – zgodnie z prawem – żądać odszkodowań..."

Pani Bourgeois urywa, podnosi wzrok, spogląda na matkę i siostrę, po czym kończy teatralnie:

– „...które będą spożytkowane dla dobra nauki. M. Curie".

We wzroku wszystkich trzech kobiet jest coś, co można określić jedynie jako żądzę mordu.

Myślę – a teraz, po latach, z jeszcze większą wyrazistością – że taka reakcja na oświadczenie Marii Curie była bardziej prawdopodobna niż jakikolwiek pozytywny jego skutek. Jej wrogowie jeszcze mocniej zwarli szeregi, do wszelkich możliwych oskarżeń dodając teraz i to, że kłamie (bo nie przyznaje się wprost do związku z Langevinem) oraz że jest chciwa, bo zapowiada domaganie się korzyści materialnych z całej sprawy. Przynajmniej jednak mniej radykalne gazety przestały na razie rozpisywać się o „aferze" i wytworzył się stan chwiejnej – choć jak się okazało chwilowej – równowagi.

I wtedy właśnie stało się coś, co zakrawało na chichot losu, który najwyraźniej uwziął się, by urozmaicać życie Marii Curie na wielorakie, najmniej spodziewane sposoby, w obfitości zaiste nieznanej – o ile mi wiadomo – żadnemu innemu uczonemu. Długie życie takiego Branly'ego – posługując się jego przykładem bez żadnej złośliwości – dałoby się streścić na jednej kartce i nie byłaby to przesadnie pasjonująca lektura, bowiem zawierałaby niemal same naukowe informacje, obojętne laikowi. To samo dotyczy setek innych osób, które skądinąd wniosły cenny wkład do skarbnicy wiedzy, nie wyłączając piszącego te słowa. Nie wiem, czy traktować to jako dar, czy przekleństwo.

7 listopada 1911 roku, dokładnie trzy dni po ukazaniu się pierwszego artykułu w „Le Journal" (ale jeszcze przed uniżonymi przeprosinami jego autora) Akademia Szwedzka przyznała Marii Curie Nagrodę Nobla, tym razem w dziedzinie chemii. Gdy tylko wiadomość ta do mnie dotarła, pognałem do jej laboratorium. Przemierzyłem tę samą drogę co wtedy, gdy miałem zawiadomić ją o wyniku głosowania w Akademii Nauk i tak samo jak wtedy – może tylko trochę bardziej rozczochrany – przyłączył się do mnie André Debierne.

Tym razem zastaliśmy ją w samym laboratorium, siedzącą na wysokim stołku i piszącą coś w zeszycie. Na odwieczną szarą suknię miała narzucony laboratoryjny fartuch. Niemal podbiegliśmy do niej, podekscytowani jak uczniacy.

– Mario, słyszałaś? – wykrzyknąłem.

– Już wiesz? – wtórował mi Debierne.

– Nagroda Nobla! Przyznano ci Nagrodę Nobla w dziedzinie chemii!

– Dostałaś drugą Nagrodę Nobla!

– Nikt nigdy nie dostał jej dwa razy!

Ona odwróciła się ku nam z tak spokojnym wyrazem twarzy, jakby wszystkie te rewelacje nie robiły na niej najmniejszego wrażenia.

– Wiem – powiedziała bez emocji. – Otrzymałam list ze Sztokholmu...

Wszyscy obecni w laboratorium, którzy dotąd słuchali naszych krzyków w osłupieniu, zaczęli bić brawo. Kiedy oklaski ucichły, Maria dokończyła:

– ...za to francuskie gazety umieściły tę wiadomość na końcu numeru i to petitem.

Tak rzeczywiście było. Wiadomości o ewenemencie na skalę światową – drugiej Nagrodzie Nobla dla tej samej osoby, o nagrodzie bądź co bądź przysparzającej chwały także Francji, publikowano jakby półgębkiem, z opóźnieniem, maleńką czcionką w głębi numeru. Poważny, zdawałoby się, „Le Temps" po dwudniowej zwłoce dał jednozdaniową notkę na czwartej stronie, za to kilka dni później ogromnymi literami obwieścił na czołówce: „Nagroda Nobla". Chodziło o nagrodę w dziedzinie literatury dla Maurice Maeterlincka, belgijskiego pisarza, tyle że piszącego po francusku. O Marii Curie nie było tam słowa.

Dla większości francuskiej prasy, z drugą Nagrodą Nobla czy bez, Maria Curie była wciąż nie dość Francuzką, osobą obcą i podejrzaną. Nadal czyhano na dalszy ciąg afery romansowej, na skandal, którym można by ją upokorzyć...

Ale my byliśmy w laboratorium, gdzie atmosfera radości uległa wyraźnemu zmąceniu.

– Wiadomo już, kiedy odbędzie się wręczenie? – zapytał André, żeby przerwać ciszę, która nagle zapadła.

Maria zajrzała do listu, leżącego niedbale na blacie, obok innych papierów.

– Dziesiątego grudnia.

Ta data coś mi mówiła.

– Czyli dokładnie tego dnia, na który wyznaczono rozprawę sądową – zauważyłem i zaraz pożałowałem.

Maria spojrzała na mnie i zapytała ze smutnym uśmiechem:

– Musiałeś mi akurat teraz o tym przypomnieć?

15

„Jestem przekonany, że Pani pogardza motłochem bez względu na to, czy otacza Panią fałszywą czcią, czy zaspakaja swą żądzę sensacji Pani kosztem".

Czytałem te słowa głośno, na prośbę Marii, która dała mi ten niedawno otrzymany list, mimo że z pewnością czytała go już wcześniej – musiał mieć dla niej specjalne znaczenie. Było to w jej domu w Sceaux, wieczorem, panował półmrok, Irena i Ewa poszły już spać. Siedzieliśmy przy biurku w kręgu światła pojedynczej lampy.

„Chciałbym pani powiedzieć, że bardzo podziwiam Pani wytrwałość, energię i uczciwość. Cieszę się, że poznałem Panią osobiście w Brukseli" – czytałem dalej.

Przelotnie spojrzałem na Marię i powędrowałem za jej wzrokiem. Patrzyła na stojącą na biurku fotografię, zrobioną niedawno w Brukseli na Kongresie Solvayowskim: ona sama siedzi tam między Poincarém a mną, a za nami stoją rzędem inni, wśród nich Einstein i Paul Langevin. Na którego z nas mogła patrzeć w tej chwili?

To wspaniale, że wśród nas znajdują się ludzie tacy jak Pani, jak Langevin, prawdziwe istoty ludzkie, w których towarzystwie można odczuwać radość. Jeśli motłoch nadal będzie panią atakować, proszę po prostu przestać czytać te bzdury. Proszę zostawić to żmijom, dla których zostały sfabrykowane. Z serdecznymi pozdrowieniami dla Pani, Langevina i Perrina.

Albert Einstein.

Odłożyłem list na biurko, głęboko poruszony. Oboje długo nic nie mówiliśmy.

Był to jeden z przejawów poparcia i sympatii, z jakimi Maria się spotykała, szczególnie po otrzymaniu Nagrody Nobla, co prawda częściej prywatnie niż publicznie. Jeden z najbardziej wzruszających pochodził od brata Piotra – Jacques'a, który zarówno w listach, jak i w publicznym wystąpieniu wyraził pełną solidarność z Marią, nazywając ją „rodzoną siostrą", i oburzenie postępowaniem jej oszczerców.

Ale „motłoch" także nie próżnował. Niemal codziennie w jakiejś gazecie ukazywały się artykuły, których „bohaterką" – pośrednio lub bezpośrednio – była Maria Curie, odsądzana od czci i wiary za cudzoziemskie pochodzenie, niemoralne prowadzenie, perfidne rozbijanie francuskich rodzin i wszelkie możliwe do wyobrażenia niegodne postępki.

Nie mogło w tym chórze zabraknąć także prasy sensacyjnej i satyrycznej, dla której otwierało się szerokie pole twórczej inwencji. Ponieważ mniej więcej w tym samym czasie „znikła" z Luwru (czyli po prostu została skradziona) *Mona Lisa* Leonarda da Vinci, co więcej, trop śledztwa w tej głośnej sprawie wiódł do Brukseli, gdzie, jak wiemy, udała się również madame Curie, obie te okoliczności usiłowano mniej czy bardziej udatnie połączyć w rozmaitych humorystycznych rysunkach i wierszykach. Skądinąd, o ile mi wiadomo, najlepiej wypadło w tym gronie pewne pisemko w Polsce, zamieszczając rzeczywiście zabawny wierszyk, który – zupełnie niedawno i przypadkiem – ktoś mi pokazał i łaskawie przetłumaczył, wszelako podejrzewam, że owo pośpieszne tłumaczenie nie dorównywało humorem oryginałowi (który na wszelki wypadek, dla znających język polski, dołączam jako dodatek do tych zapisków).

Żarty – po francusku czy polsku – żartami, ale wtedy nie można było zapominać, że ludzie, którzy to wszystko wypisywali, wciąż dysponowali potężną „amunicją" w postaci listów i obawa, że w końcu jej użyją, z każdym dniem rosła. W końcu we wspomnianym wcześniej artykule w „Le Petit Journal" cytowano wieloznaczną wypowiedź Jeanne Langevin: „Mogłabym zniweczyć cały ich plan, publikując jeden jedyny list spośród tych, które posiadam. Dotąd nie chciałam tego robić; nadal nie chcę tego robić". Ale cały artykuł kończył się złowróżbnie: „Dowiadujemy się skądinąd, że już wkrótce wydarzy się coś, co rzuci wiele światła na tę sensacyjną aferę".

Można się było domyślać, co to oznacza. Aby nie czekać bezczynnie, uradziliśmy z Borelem, że udamy się do prefekta policji Louisa Lepine'a, człowieka wpływowego znacznie ponad swe formalne kompetencje, by wysondować go, czy istotnie nic się w tej sprawie nie da zrobić, szczególnie że „druga strona", czyli w tym wypadku Jeanne Langevin, jeszcze niedawno przy świadkach groziła Marii Curie, że ją zabije, co w końcu powinno interesować policję.

Umówionego dnia, z wybiciem zegara, zjawiliśmy się w biurze prefekta. Wprowadzono nas do obszernego korytarza przylegającego do jego gabinetu i poproszono, byśmy usiedli na jednej z pluszowych kanap.

Korytarz przypominał nie przedsionek w urzędzie, lecz wręcz salę pałacową. Dębowe boazerie, portrety kolejnych prefektów oprawne w złocone ramy... Panował ożywiony ruch: wciąż mijali nas interesanci i umundurowani policjanci śpieszący we wszystkich kierunkach.

Wreszcie otworzyły się masywne drzwi, z których wyłonił się modnie ubrany młody człowiek, zapewne sekretarz prefekta, i zwrócił się do nas z namaszczeniem:

– Pan prefekt panów prosi.

Gabinet robił wrażenie jeszcze bogatszego niż przedsionek. Na kominku zwracał uwagę marmurowy biust Marianny z napisem: Liberté–Égalité–Fraternité. Prefekt Lepine siedział za ogromnym złoconym biurkiem. Usiedliśmy przed nim w fotelach przeznaczonych dla gości. Po wstępnych grzecznościach – pan prefekt chciał nas nawet częstować cygarami – postanowiłem wejść od razu *in medias res.*

– Pani Langevin posunęła się do gróźb zagrażających życiu pani Curie... – zacząłem.

Prefekt lekceważąco machnął ręką.

– To tylko słowa. Nie mają żadnego znaczenia przed sądem jako wypowiedziane w chwilowym afekcie. A porzucenie rodziny, zabranie matce dzieci – to są fakty, proszę panów. Co gorsza, porzucenie dla innej kobiety...

– To wszystko opiera się na plotkach, domysłach... – w głosie Émile'a nie było przekonania.

Prefekt rozparł się w swoim fotelu, zapalił cygaro, wypuścił kłąb dymu i odrzekł:

– Obawiam się, że jest pan w błędzie. Ci państwo już u mnie byli, pani Langevin z siostrą i adwokatem. Twierdzą, że są w posiadaniu listów stanowiących kluczowe dowody w tej sprawie. Szykuje się olbrzymi skandal, panowie. Oczywiście, o ile profesor Langevin nie zrzeknie się bezwarunkowo opieki nad dziećmi i nie zgodzi na płacenie żonie tysiąca franków miesięcznie na ich utrzymanie.

Nie wytrzymałem i zrywając się z miejsca, wykrzyknąłem:

– Dzieci nie wolno traktować jak towaru na targu! To haniebne, że usiłuje się je odebrać człowiekowi, który poślubiwszy młodą kobietę bez majątku, pracował ciężko całe życie, by zapewnić godziwe utrzymanie jej i dzieciom!

Borel chwycił mnie za ramię i prawie siłą usadził na powrót w fotelu.

– Te warunki zostały już przedstawione profesorowi Langevinowi i wiadomo, że on ich nie przyjął – powiedział pojednawczym tonem.

Prefekt nie przejął się zbytnio moim wybuchem i wypuszczając kłąb dymu z cygara, odrzekł:

– Tym gorzej, bo w takim razie zostanie oskarżony o zadawanie się z konkubiną w domu małżeńskim. Jest to przestępstwo wpisane do kodeksu karnego...

– Konkubiną? – tym razem nie wytrzymał Borel.

– Przecież tu chodzi o panią Curie! – dodałem. – Wie pan przecież, kim ona jest dla francuskiej nauki!

– Prawo nie przewiduje osobnych paragrafów dla uczonych, nawet genialnych – brzmiała odpowiedź prefekta i trudno jej było odmówić logiki.

– Chwileczkę, panie prefekcie – próbował Émile. – Nawet jeśli przyjąć, że profesor Langevin spotykał się z panią Curie, powtarzam, jeżeli coś takiego przyjąć, to tak czy inaczej nie mogło to mieć miejsca w „domu małżeńskim". To jakaś bzdura.

– Znów się pan myli, profesorze Borel – odpowiedział spokojnie Lepine. – Z tych listów wynika, że pan Langevin wynajął mieszkanie, w którym dochodziło do regularnych spotkań. Według prawa każde mieszkanie wynajęte i opłacane przez męża stanowi część „domu małżeńskiego". Teraz rozumiecie panowie powagę sytuacji? Dla pani Curie, oczywiście.

Nie musieliśmy odpowiadać. Po naszych minach widać było doskonale, że rozumiemy „powagę sytuacji".

Mogło to oznaczać publiczny proces, niewyobrażalne upokorzenie, a nawet karę dla Marii – we Francji za cudzołóstwo karano wyłącznie kobiety. A „zadawanie się z konkubiną w domu małżeńskim" to było właśnie cudzołóstwo.

Klucz do wszystkiego stanowiły listy.

16

Nie miałem innego wyjścia, jak spróbować – choć bez większych nadziei – raz jeszcze porozmawiać z Jeanne Langevin. Z ciężkim sercem udałem się do Fontenay--aux-Roses i przekroczyłem próg domu, który obecnie był dobrze znany nie tylko mnie, lecz także niemal każdemu Francuzowi, o ile czytywał gazety.

Muszę przyznać, że kiedy znów znalazłem się w tym urządzonym z fatalnym gustem, przeładowanym poduszeczkami i bibelotami wnętrzu, stanowiącym kwintesencję tego, co potocznie określa się jako „mieszczańskie", w dodatku w połączeniu z ogólnym nieporządkiem, próbowałem sobie wyobrazić Paula żyjącego tutaj na co dzień, Paula z jego inteligencją, erudycją, subtelnym umysłem i wewnętrzną niezależnością... Jak to było możliwe przez tyle lat?

Jadąc tu, nieco się obawiałem, że będę musiał skonfrontować się od razu z wszystkimi trzema królowymi tego domostwa, wszelako ku mojej uldze Jeanne przyjęła mnie sama i posadziła przy stole. Z głębi mieszkania słychać było głosy dzieci, chyba jakąś kłótnię, ale moja gospodyni nie zwracała na to uwagi. Chcąc ukryć zakłopotanie, przeszedłem od razu do sedna sprawy:

– Jeanne, przychodzę tu ponownie jako stary przyjaciel Paula, bo leży mi na sercu jego dobro, dobro waszej rodziny. Nie jest także tajemnicą, że zaliczam się do przyjaciół pani Curie, która...

Przerwała mi jadowitym tonem:

– Może pan sobie oszczędzić laurki na jej temat.

– Więc dobrze, przejdę od razu do rzeczy. Wiadomo mi, że doszły do pani uszu pewne plotki, które wytrąciły panią z równowagi. W takich przypadkach nadmierne uleganie emocjom z pewnością nie poprawia sytuacji...

– Plotki, emocje? – niemal wykrzyknęła. – O czym pan mówi, proszę pana?

Próbowałem nie dać sobie narzucić tego tonu kłótni nad niedosoloną zupą, jakie toczyły się tyle razy przy tym stole.

– Jeanne – powiedziałem z takim spokojem, na jaki było mnie stać – pomijam godne pożałowania przypadki użycia siły, jakie miały miejsce w waszej rodzinie, gdyż zakładam, że nie było to działanie z premedytacją, jednak proszę pamiętać, że to także może wyjść na jaw podczas procesu...

Jeanne zerwała się z miejsca. Jej oczy płonęły gniewem. Ja także wstałem, nieco się obawiając, że jej agresja może skierować się przeciw mnie. Wokół widziałem sporo zarówno butelek, jak i metalowych krzeseł.

W tym momencie do salonu – a jakże! – wkroczyła pani Bourgeois. Od progu mówiła podniesionym głosem:

– Dlaczego nie da pan spokoju mojej biednej siostrze? Mało jeszcze wycierpiała przez tę cudzoziemkę, która chce zabrać jej męża, ojca jej dzieci?

– Ależ proszę pani, przyszedłem właśnie apelować o to, by... Dla dobra dzieci...

– Więc niech pan przyjmie do wiadomości, że nie będziemy dłużej przyglądać się, jak przybłęda niszczy francuską rodzinę. Mamy niezbite dowody, proszę pana, mamy listy, i zapewniam pana, że mój mąż nie zawaha się opublikować ich, jeśli zajdzie taka potrzeba!

Listy. Do tego zmierzała cała rozmowa.

– Właśnie, listy – powiedziałem. – Ich publikacja nikomu nie przyniesie korzyści. Upokorzy tylko publicznie pana Langevina i oczywiście panią Curie...

Przerwała mi natychmiast:

– No tak, ich upokarzać nie wolno, bo to wielcy uczeni! Ale biedną kobietę, matkę dzieciom – proszę bardzo!

Mówiąc to, teatralnym gestem wskazała siostrę. Jednak Jeanne nie potrzebowała takich patetycznych gestów. Wykrzyknęła z furią:

– A jej niech pan powie, że jeśli nie zostawi mojego męża w spokoju – zabiję ją! Niech się wynosi z Francji!

Nie pozostało mi nic innego, jak ukłonić się i oddalić – czy raczej zrejterować ku drzwiom.

A więc znów nieprzejednana nienawiść, zawoalowane groźby... Czy w ogóle istniało jakieś wyjście z tej sytuacji? A nad tym wszystkim owe nieszczęsne listy, które, niczym miecz Damoklesa, w każdej chwili mogły spaść na głowę Marii Curie.

Stawało się to coraz bardziej realne, gdyż gazety paryskie podjęły wręcz coś w rodzaju wyścigu, kto zajmie bardziej radykalne stanowisko w atakach na uczoną. „Le Journal", a nawet „Le Petit Journal" musiały ustąpić pola „L'Action Française" i tygodnikowi „L'Oeuvre". Włączył się w to dotychczas umiarkowany „L'Intransigeant", gdzie można było przeczytać na przykład coś takiego:

Po drugiej stronie znajduje się matka, matka Francuzka, która chce jedynie zatrzymać przy sobie dzieci. To z tą matką właśnie, a nie z cudzoziemką, sympatyzuje opinia publiczna. Ta matka pragnie być ze swoimi dziećmi. Ma argumenty. Ma wsparcie. A przede wszystkim ma za sobą druzgocącą siłę prawdy. Ona zwycięży.

Żałowałem, że „opinii publicznej", a przynajmniej jej przedstawicieli, nie było ze mną podczas ostatniej mojej rozmowy z ową „matką", która w furii groziła, że zabije rywalkę, podczas gdy jej dzieci – cała czwórka – kłóciły się w sąsiednim pokoju.

Redaktorem – i czołowym autorem – tygodnika „L'Oeuvre", który stopniowo wysuwał się na czoło wyścigu, był Gustave Téry, człowiek nie tylko inteligentny, lecz także całkowicie pozbawiony zasad i nieprzebierający w środkach. Niskiego wzrostu, karykaturalnie wręcz brzydki i w dodatku cierpiący na permanentne dolegliwości gastryczne, musiał popaść w kompleksy, które z pewnością odgrywały istotną rolę w kształtowaniu się jego skrajnych poglądów.

Metamorfoza, jaką ten człowiek przeszedł w stosunkowo krótkim czasie, była jedną z najbardziej zdumiewających w ówczesnej Francji. Podczas studiów w École Normale Téry kolegował się, a nawet ponoć przyjaźnił z Paulem Langevinem. Miał ambicje filozoficzne i uważał się za „wolnomyśliciela". Na każdym kroku atakował, wręcz wyszydzał Kościół katolicki i wszelkie jego powiązania z państwem. Nade wszystko jednak odważnie i jednoznacznie stanął po stronie Dreyfusa, żarliwie go broniąc.

Jednakże kiedy jego uniwersytecka kariera w dziedzinie filozofii jakoś nie chciała ruszyć z miejsca, Téry najpierw skłócił się niemal ze wszystkimi dotychczasowymi kolegami i ludźmi, z którymi wcześniej dzielił postępowe poglądy, potem założył pismo – właśnie „L'Oeuvre" – które stało się tubą klerykalizmu, nacjonalizmu i najbardziej zajadłego antysemityzmu. W prawie każdym numerze swego pisma tropił „żydowskie spiski" – w nauce, sztuce, finansach, przemyśle – i przestrzegał przed nimi opinię publiczną. Sprawa „Curie–Langevin" stanowiła dla niego okazję do zaatakowania całego środowiska akademickiego (określanego rzecz jasna jako „niemiecko-żydowskie"), które go kiedyś odrzuciło.

Gustave Téry i jego kariera – ciekawy przyczynek do rozważań nad źródłami nowoczesnego antysemityzmu – przynajmniej w wydaniu indywidualnym. Kiedy w człowieku – do tego jeszcze nieatrakcyjnym fizycznie

– zaczynają się kumulować frustracje, kiedy czuje się on zawiedziony w swych ambicjach, odrzucony przez środowisko, w którym chciałby zyskać uznanie, zaczyna szukać wytłumaczenia tych niepowodzeń; oczywiście nie w sobie – do głowy mu nie przychodzi, że może jego zdolności nie wystarczały do zajęcia miejsca, jakie sobie wymarzył – lecz w zewnętrznym świecie, który uwziął się na niego, a konkretnie w jakiejś potajemnej zmowie, wręcz spisku, którego stał się ofiarą. I oto olśnienie, odkrycie, które wyjaśnia wszystko: musi to być spisek żydowski.

Jakże często mechanizm ten funkcjonuje wśród artystów, naukowców, dziennikarzy, ludzi skądinąd – jak sam Téry – inteligentnych, lecz nie dość utalentowanych, by zrobić zaplanowaną karierę, a przez nich przenosi się na szerokie kręgi społeczeństwa, także im wyjaśniając właściwie wszystko, co przydarza się w życiu. Takie też były źródła światopoglądu Gustave'a Téry'ego, kiedy z pasją zajął się sprawą „Curie–Langevin".

Któregoś dnia Marguerite i Émile Borelowie pili poranną kawę, kiedy wpadłem jak bomba do ich salonu i rzuciłem na stół najnowszy numer „L'Oeuvre".

– Macie, czytajcie. Dowiecie się, że sprawa Curie–Langevin to nie jest wcale sprawa prywatna, to nawet nie jest „przyjmowanie konkubiny w domu małżeńskim". To nowa sprawa Dreyfusa!

Patrzyli na mnie z niedowierzaniem. Émile powoli włożył okulary, wziął czasopismo, otworzył i zaczął czytać na głos:

– „Ona już nie dzieli dwóch Francji, lecz ukazuje Francję w morderczym uścisku zgrai brudnych cudzoziemców, którzy ją plądrują, brukają i bezczeszczą".

Borel przerwał czytanie, podniósł wzrok na mnie i Marguerite. Ponieważ nic nie mówił, po chwili Marguerite wyjęła mu pismo z rąk i czytała dalej:

– „Izrael zmobilizował wszystkich swoich lewitów, płatnych morderców i wszystkie swoje kastety. Podnieśli wrzask, wywierali nacisk: – Jeśli się odezwiesz, okażesz się prostakiem, nikczemnikiem. Zapytuję więc: – Dlaczego krzyczą tak głośno? Jaka jest prawda, której się aż tak obawiają?".

Teraz ona przerwała, patrzyła na nas, jakby szukała odpowiedzi na pytanie, które zadała dopiero po chwili:

– O co tu chodzi? Co to wszystko znaczy?

– Obawiam się – odrzekłem – że to może znaczyć tylko jedno.

17

Zdawałem sobie sprawę, że jako człowiek przeciętnie dobrze wychowany, w miarę zrównoważony i mający szczęśliwą rodzinę, nie jestem chyba należycie przygotowany do konfrontacji ani z kobietami, które jako argumentów w kłótniach z mężami używają żelaznych krzeseł, ani z ludźmi, którzy włamują się do mieszkań, by wykraść stamtąd prywatne listy, ani też z takimi, którzy gotowi są je publikować w gazetach, traktując to jako swój patriotyczny obowiązek.

Mimo to uznałem, że pozostał do zrobienia jeszcze jeden – dość ryzykowny – krok, którego do tej pory nie próbowaliśmy. Następnego dnia wyszedłem z domu wcześnie, zatrzymałem dorożkę i kazałem się zawieźć wprost do redakcji „L'Oeuvre".

Wszedłem do obszernego pomieszczenia, przepełnionego duszącym zapachem farby drukarskiej, zapytałem o redaktora Téry'ego i jeden z pracowników ruchem głowy wskazał mi kierunek. Minąłem kilka biurek, gdzie trudzili się pomniejsi redaktorzy, a może korektorzy, i zapukałem do drzwi oszklonego kantorku.

Na mój widok zza biurka zerwał się mały brzydki mężczyzna, z błyskiem złośliwej inteligencji w oku.

– Profesor Perrin! Nareszcie! – wykrzyknął. – Czekałem na pana.

Muszę przyznać, że to mi nie przyszło do głowy.

– Spodziewał się pan mojej wizyty?

Téry wskazał mi krzesło, sam przysiadł na krawędzi biurka zawalonego papierami.

– Ależ oczywiście. Nie jest przecież tajemnicą, że przygotowujemy, hm, pewną publikację dotyczącą bliskich panu osób. Łatwo wyciągnąć wniosek, że prędzej czy później zjawi się pan, by temu zapobiec.

Przez chwilę nie wiedziałem, co powiedzieć. W końcu zacząłem oficjalnie:

– Przychodzę, by zaapelować o rozwagę. Dla dobra francuskiej nauki...

Przerwał mi chichot Téry'ego.

– Wie pan co, aż drżę na myśl, że gdyby ta nieszczęsna studentka w swoim czasie nie przyjechała z Polski specjalnie po to, by uczestniczyć w odkryciu radu, nie byłoby w ogóle francuskiej nauki! – Nagle spoważniał. – Na szczęście jeszcze trafiają się patrioci uparci na tyle, by uważać tę inwazję cudzoziemców za plagę narodową.

– Przecież nie o to tu chodzi... – próbowałem przerwać tę patriotyczną tyradę. Daremnie.

– Racja, tu chodzi tylko o honor kobiety, więc prasa powinna zachować milczenie, nieprawdaż?

– Mówimy o dwóch kobietach – odparłem z naciskiem.

– Nas interesuje tylko jedna. Sam pan chyba czytał w niektórych dziennikach, że ta pani Langevin jest „głupią gęsią, niegodną swego męża, zazdrosną jak praczka". Mało panu?

Wziął z biurka papier i rzucił w moją stronę tak, że odruchowo złapałem go w locie.

– Niech pan czyta, co pisze amerykańska prasa w korespondencji z Paryża. Krótko i węzłowato – delektował się słowami, cytując z pamięci: – „Pani Curie oszalała z miłości. Żona? To idiotka – oświadcza".

Zerwałem się z miejsca.

– To pan oszalał! To nie są słowa pani Curie!

Téry jakby tego nie słyszał.

– Oczywiście, nie będziemy wyciągać żadnych wniosków z faktu, że w swoich listach zwraca się ona do Langevina po imieniu...

– Po przyjacielsku. – Usiadłem z powrotem. – Wszyscy wiedzą, że jest to zwyczajem w laboratoriach.

– Proszę wybaczyć. Nie wiedziałem, że na Sorbonie wszyscy mówią sobie po imieniu, tak jak w więzieniu czy w Izbie Deputowanych – zrobił efektowną pauzę. – No cóż, gdyby pani Curie i Langevin spotykali się tylko w laboratorium...

– To nadal nie ma nic wspólnego z listami, które...

Przerwał mi. Był to człowiek, który napawał się brzmieniem własnego głosu.

– Gdyby pani Curie oświadczyła: „Kpię z waszych tradycji i waszych przesądów, jestem cudzoziemką, intelektualistką, wyzwoloną z konwenansów. Dajcie mi święty spokój". Gdyby pani Curie użyła tego języka, odpowiedzielibyśmy jej: „To nie jest francuskie, ale to jest śmiałe". Ale nie!

Téry podniósł się, obszedł biurko dookoła, stanął za nim, oparty obiema rękami o blat. Rozglądałem się za papierem, z którego czytał tekst swojego przemówienia – tak to przecież brzmiało – ale nic takiego nie dostrzegłem. Zrozumiałem, że on, mówiąc do mnie, w gruncie rzeczy układa w myśli artykuł do nowego numeru swojej gazety.

– Dziwna doprawdy jest hipokryzja kobiet, przy każdej okazji powołujących się na zasady feminizmu!

– kontynuował. – Bo prawda jest taka, że pani Curie rozmyślnie, metodycznie i naukowo zajęła się odrywaniem Paula Langevina od żony i zrywaniem jej więzi z dziećmi. – Uderzył dłonią w blat biurka. – Wszystko to opowiedziane jest z cynizmem lub wyznane mimowolnie w listach, które pozostają dziś jedyną obroną pani Langevin!

Nie odzywałem się. Widząc wywołany efekt, Téry usiadł, rozpierając się w swoim sfatygowanym fotelu.

Bez słowa wstałem, odwróciłem się i ruszyłem ku drzwiom. Miałem już rękę na klamce, gdy Téry dodał, tonem niemal obojętnym:

– Niech pani Curie i jej rycerze będą spokojni. Nie opublikujemy tych listów. Nie tyle przez szacunek dla niej, ile przez szacunek dla naszych czytelniczek.

18

W czwartek, 23 listopada 1911 roku dzień był pochmurny i padał deszcz. Nie tak ulewny, jak w dniu, kiedy zginął Piotr Curie, lecz wystarczająco dokuczliwy.

Rano, po wyjściu z domu, postawiwszy kołnierz płaszcza, pierwsze swoje kroki skierowałem w stronę kiosku z gazetami. Taki miałem nawyk i mam go do dziś. Także i tu, w Nowym Jorku, kiedy wychodzę – o ile wychodzę – zmierzam prosto do ulicznego stoiska z prasą i gapię się na tytuły, choć czasem nic nie kupuję.

Tamtego dnia uczyniłem to samo. Podszedłszy, powodowany niewytłumaczalnym impulsem, od razu sięgnąłem po nowy numer „L'Oeuvre", pierwszy, jaki ukazał się od mojej rozmowy z Térym. Może dlatego, że w odróżnieniu od innych czasopism okładka tego tygodnika miała kolor czerwony i przyciągała wzrok. Ale może było to przeczucie.

Jeszcze nieopodal kiosku – a wybierałem się na Sorbonę – otworzyłem tygodnik i przeczytawszy kilka słów na pierwszej stronie, stanąłem jak wryty. Przechodnie potrącali mnie co chwila, a ja, stojąc na deszczu, czytałem:

Byłoby tak dobrze widywać się znów tak często, jak to tylko możliwe, pracować razem, chodzić na spacery i podróżować. Istnieje między nami powinowactwo bardzo głębokie, które dla rozwoju potrzebowało tylko sprzyjającego klimatu. W przeszłości mieliśmy czasem przeczucie tego, ale całkowitą pewność uzyskaliśmy dopiero wtedy, gdy stanęliśmy na wprost siebie, ja w żałobie po pięknym życiu, jakie sobie stworzyłam, a które legło w gruzach, Ty, mimo Twej dobrej woli i starań, z poczuciem kompletnie nieudanego życia rodzinnego, które pragnąłeś uczynić szczęśliwym...

Nie znałem wcześniej tych słów, ale dobrze znałem ten ton. Tak Maria opowiadała nam o swoich uczuciach w l'Arcouest. Nie wierzyłem własnym oczom. Przewróciłem stronę i zacząłem czytać w innym przypadkowym miejscu:

To pewne, że Twoja żona nie będzie chciała zgodzić się na separację, gdyż nie leży to w jej interesie. Co więcej, w jej charakterze jest coś takiego, co każe jej zawsze postępować na przekór Tobie. Musisz więc koniecznie, bez względu na to, jak będzie to dla Ciebie trudne, robić wszystko, by uczynić jej życie nieznośnym, a kiedy ona wreszcie zgodzi się na separację pod warunkiem zatrzymania dzieci, masz przyjąć tę propozycje bez wahania, aby nie dopuścić do jakiejkolwiek próby szantażu. My moglibyśmy nadal zachowywać wszelkie środki ostrożności, aż sytuacja nieco się ustabilizuje.

To mi wystarczyło. Zamknąłem mokrą gazetę. Trzeba było coś zrobić, ale co? Postanowiłem najpierw naradzić się z Henriette i zawróciłem do domu.

Okazało się, że dobrze zrobiłem, bo zastałem już u nas Marguerite Borel. Émile z samego rana pojechał do Marii, do Sceaux. Obie panie były silnie wzburzone, choć nie czytały jeszcze „L'Ouevre". Rzuciłem zmoczony egzemplarz na stół.

– Jednak zrobili to! – wykrztusiłem, opadając na krzesło. – Nic ich nie powstrzymało, żadne obietnice, zapewnienia, umowy o zawieszeniu broni! Opublikowali te nieszczęsne listy! I wcale nie po to, żeby skompromitować Marię, o nie! Im chodzi wyłącznie o dobro publiczne, o obronę francuskiej rodziny!

Z pobieżnego przejrzenia tygodnika, jeszcze tam, na ulicy, zdążyłem się zorientować, że zostało to zrobione w sposób bardzo sprytny: opublikowano nie tyle prywatne listy jako takie, lecz – niemal *in extenso* – wniosek rozwodowy, którego listy stanowiły integralną część, przygotowany przez adwokata Jeanne Langevin. Miało to wyglądać nie tyle na brutalne wkroczenie w czyjeś życie prywatne, ile na obiektywną publikację sądowego dokumentu, do którego opinia publiczna powinna mieć dostęp.

Henriette i Marguerite pochyliły się nad gazetą.

– Swoją drogą... swoją drogą, jak Paul mógł być tak nieostrożny? Trzymać takie listy po prostu w szufladzie? – powiedziała Marguerite po chwili, nie odrywając oczu od zadrukowanych stronic.

Henriette pokręciła głową, jakby z niedowierzaniem.

– Ale Maria... Dlaczego ona pisze takie rzeczy o Jeanne Langevin? – zaczęła czytać na głos – „Nie daj się zwieść napadom płaczu. Przypomnij sobie powiedzenie o krokodylu, który roni łzy, bo nie udało mu się pożreć zdobyczy – łzy twojej żony są właśnie tego rodzaju. Ona musi pojąć, że niczego nie może od ciebie oczekiwać...". Albo to: „Moje noce są straszne. Myślę o tym, że jesteś z nią, nie mogę spać, z wielkim trudem udaje mi się zdrzemnąć na dwie lub trzy godziny, budzę się w gorączce i nie mogę pracować. Zrób coś, żeby z tym skończyć".

– Dlaczego to pisała? – odpowiedziała jej Marguerite. – Bo była zakochana. I nie mogła sobie z tym poradzić!

Zapadła cisza, którą po chwili przerwała Henriette.

– Mój Boże, pomyśleć, że oni by tak dobrze do siebie pasowali! – Znów sięgnęła po gazetę. – Ona tak pięknie pisze: „Czegóż to nie można by wydobyć z tego uczucia, instynktownego i spontanicznego, a zarazem zgodnego z naszymi potrzebami intelektualnymi, do których wydaje się tak doskonale dopasowane? Myślę, że wydobylibyśmy zeń wszystko: dobrą wspólną pracę, solidną przyjaźń, odwagę w życiu, a nawet piękne dzieci, zrodzone z miłości, w najpiękniejszym rozumieniu tego słowa...".

Długo jeszcze czytały na przemian, a we mnie narastały przerażenie i bezradność. Było jasne, że otwartość i szczerość Marii, wyrażane w tych słowach, w rękach ludzi podłych – którzy nie cofnęli się przed ich publicznym ujawnieniem – mogą przemienić się w potężną broń przeciw niej, o nieprzewidywalnych wręcz konsekwencjach. Pal diabli miłosne wyznania, ale rad w rodzaju: „Zrób coś, żeby z tym skończyć" – zręczny adwokat użyć może do oskarżeń wręcz kryminalnych!

Wtórował temu inny fragment, utrzymany, co tu dużo mówić, w tonie instrukcji:

Jedną z pierwszych rzeczy, które powinieneś zrobić, to wrócić do swego pokoju. Przyrzekłam nie robić Ci więcej wyrzutów i możesz na to liczyć. Mam pełne zaufanie do Twoich intencji. Ale bardziej niż mogę to wypowiedzieć, obawiam się nieprzewidzianych wypadków, takich jak napady płaczu, na które jesteś tak nieodporny, czy pułapki, w jakie wciągnie Cię jej ciąża. Gdyby znów miała dziecko, będzie to ostatecznym rozstaniem, gdyż nie mogłabym znieść hańby wobec siebie samej, Ciebie i ludzi, których cenię. Jeżeli Twoja żona to rozumie, wykorzysta ten sposób. Dlatego też proszę Cię, nie każ mi czekać zbyt długo na separację od łoża...

Co za zmaganie między miłością i dumą, między racjonalnym myśleniem i zaślepioną namiętnością, co za walka wewnętrzna, co za cierpienie! I to wszystko wyciągnięte na widok publiczny, na targowisko, splugawione wzrokiem ciekawskich!

I dalej:

Nie schodź nigdy na dół, dopóki sama nie zacznie Cię szukać, pracuj do późna. Powiedz jej, że pracując do późna i wstając wcześnie rano, jesteś bardzo zmęczony, że jej obstawanie przy wspólnym łożu denerwuje Cię i uniemożliwia Ci prawdziwy odpoczynek. Stanowczo odmów dzielenia z nią nadal łoża, a jeśli ona będzie przy tym obstawać, powiedz jej, że będziesz sypiał w Paryżu...

Nie mogło być zaskoczeniem, że właśnie te – i podobne – słowa dały asumpt Gustave'owi Téry'emu, do napisania, oczywiście nieco później: „Prawda jest taka, że pani Curie, udzielając najbardziej perfidnych i nikczemnych rad, z premedytacją, metodycznie i naukowo starała się odłączyć Paula Langevina od jego żony i odseparować panią Langevin od jej dzieci". Natomiast Jacques Curie, brat Piotra, po przeczytaniu listów, napisał do niej: „Udziela w nich Pani najbardziej precyzyjnych i najlepszych rad, jakich można udzielić, by pomóc temu człowiekowi. Z moralnego punktu widzenia może Pani być dumna z tego, co napisała".

Ale przecież wtedy, słuchając w oszołomieniu czytanych na głos fragmentów, nie mogłem tego wiedzieć.

Nagle drzwi salonu się otworzyły i wszedł wzburzony Borel.

– Wokół domu Marii zebrał się tłum – powiedział od progu. – Ona jest tam dosłownie oblężona.

Marguerite zerwała się na równe nogi.

– Trzeba ją stamtąd natychmiast zabrać! – wykrzyknęła.

– Ale dokąd? – spytała przytomnie Henriette.

– Do nas – odpowiedział bez wahania Émile. – Oddamy jej pokój w naszym mieszkaniu. Będzie tam bezpieczna z córkami.

Popatrzyłem na niego jak na wariata.

– Oszalałeś? Chcesz ją ukryć na terenie École Normale Supérieure? Nie puszczą ci tego płazem.

– To samo powiedział mi przed chwilą minister oświaty. Dodał, żebym przed podjęciem decyzji poradził się żony.

Spojrzał na Marguerite. A ona bez wahania stwierdziła:

– Już się poradziłeś. Jadę po Marię.

– André Debierne czeka na ulicy, zabierze cię. Ja jadę do nas, przygotować wszystko.

Czyste szaleństwo.

– To bardzo piękne, Émile – czułem się w obowiązku wtrącić – ale czy na pewno wiesz, co robisz?

Borel czule objął Marguerite.

– Jesteśmy zdecydowani.

– Dobrze – powiedziała z kolei moja żona. – My zajmiemy się Ireną.

Spiskowcy, rozdzieliwszy między siebie zadania, rozeszli się w pośpiechu, każdy w swoją stronę.

Można było sobie z łatwością wyobrazić scenę, jaka w tym czasie rozgrywała się w Sceaux:

Zza okna dobiega gwar wielu głosów. Maria jest sama w obszernym, lecz skromnie umeblowanym salonie. Zdenerwowana, niemal przerażona, ostrożnie podchodzi do okna, wygląda zza firanki...

Na ulicy, za ogrodzeniem okalającym niewielki ogródek, zgromadził się spory tłum. Meloniki, wąsy, najedzone brzuchy opięte kamizelkami, ale przeważają panie w kapelusikach. Wszyscy krzyczą, wygrażają pięściami, widać kobiety wymachujące parasolkami.

– Precz z cudzoziemką! – słyszy. – Precz z burzycielką francuskiej rodziny! Niech wraca, skąd przyjechała! Precz z cudzoziemką, złodziejką mężów!

Brakuje tylko słowa „ladacznica", zapewne w bardziej dosadnym, ludowym brzmieniu, ale wisi ono w powietrzu.

Celnie rzucony kamień rozbija szybę. Maria odskakuje od okna.

Do pokoju wbiega mała Ewa. Jest przerażona. Maria przytula ją. Zza okna wciąż dobiegają wrzaski tłumu.

– Mamo – mówi przez łzy Ewa. – Wracajmy do Polski. Tam było nam tak dobrze.

Przez chwilę wydaje się, że Maria w ogóle jej nie słyszy. Potem odpowiada twardo, nie odwracając głowy od okna, bardziej sobie niż córce:

– Nie. Nie dam im tej satysfakcji.

W tym momencie rozlega się energiczny dzwonek do drzwi. Maria wzdraga się, jeszcze mocniej przytula płaczącą głośno córkę.

Po chwili obie wychodzą z domu. Maria z podniesioną głową, trzymając za rękę małą Ewę, przechodzi szpalerem rozwścieczonych ludzi, którzy jednak na jej widok stopniowo milkną. Obok idzie piękna Marguerite z torbą Marii w ręce, miotając wzrokiem pioruny.

Przy samochodzie czeka na nie André Debierne. Kobiety wsiadają. Debierne zatrzaskuje drzwi i samochód szybko rusza. Żegnają go gniewne pomruki tłumu i las groźnie uniesionych w górę parasolek.

Ach, ten paryski tłum i jego ludowa sprawiedliwość! Ten sam, który wył i pluł na haniebnym spektaklu degradacji i upokorzenia kapitana Dreyfusa! Ten, co o mało nie rozerwał na strzępy biednego Louisa Manina, który miał nieszczęście powozić furgonem, gdy wpadał pod niego Piotr Curie! A teraz, podżegany przez pismaków w rodzaju Daudeta i Téry'ego, wybijał okna „cudzoziemskiej przybłędzie" – samotnej kobiecie, która ośmieliła się kochać, a nawet napisać o tym w listach!

Jak łatwo jest zasiać w ludzkich sercach ziarno nienawiści. Jak łatwo jest przemienić zwykłych, w gruncie rzeczy porządnych ludzi w żądny krwi motłoch, wskazując im „obcego" jako ich osobistego wroga. A potem w poczuciu dobrze spełnionego obowiązku zapalić cygaro i pójść na dobrą kolację.

Moja żona dobrze wywiązała się ze swego zadania: odnalazła Irenę na lekcji gimnastyki i – nic jej nie mówiąc – przywiozła ją do mieszkania Borelów, by spotkała się z matką. Potem miała ją zabrać do nas.

I tak do eleganckiego salonu Borelów wbiegły w podskokach dziewczynki: czternastoletnia wtedy Irena i nasza córka Aline, jej dobra przyjaciółka. Beztrosko ganiały się wokół stołu. W pewnym momencie Aline dostrzegła na stole czasopismo w czerwonych okładkach. Przerwała zabawę i wzięła je do rąk.

– Zobacz, Ireno, tu piszą o twojej mamie.

Irena, traktując to jako dalszy ciąg zabawy, wzięła od niej gazetę. Najpierw pobieżnie rzuciła okiem. Potem, zaciekawiona, usiadła przy stole i zagłębiła się w lekturze. Gdy Henriette weszła do salonu, z przerażeniem dostrzegła, co czyta Irena. Ale było już za późno.

W tym momencie drzwi otworzyły się ponownie, pojawiły się Maria z Ewą w towarzystwie Marguerite. Irena podniosła wzrok znad gazety i widząc matkę, wybuchła płaczem. Maria, jak skamieniała, zatrzymała się na środku salonu. Irena podbiegła i przytuliła się do niej. To samo zrobiła Ewa. Płakały obie. Maria, posiwiała, z pustymi oczami, przygarniała je bezradnie.

Zadzwonił telefon. Marguerite odebrała. Mówiła cicho, lecz stanowczo:

– Tak, wiem. To nędzna intryga. Jeśli chcesz wiedzieć, Maria Curie jest tutaj z nami. Tak, popieramy ją.

Blada, odłożyła słuchawkę i zwróciła się w stronę Marii, która zdawała się nie słyszeć niczego, co się wokół niej działo; w milczeniu głaskała włosy swoich córek. Telefon znowu zadzwonił.

Na szczęście w drzwiach stanął Émile.

– Mario, pokażę wam wasz pokój – powiedział, po czym zwrócił się do żony: – Marguerite, twój ojciec dzwonił już kilka razy. Chce cię natychmiast widzieć.

Zostawiając Marię z Ewą pod opieką Émile'a, a Irenę pod opieką Henriette, Marguerite posłusznie udała się do mieszkania swego ojca, profesora Appella, dziekana Wydziału Nauk Ścisłych Sorbony.

Zastała ojca w ogromnym gabinecie, będącym zarazem biblioteką. Kończył właśnie dopinać kamizelkę. Na nogach miał jeszcze domowe pantofle. Na widok córki nie ukrywał gniewu. Zaczął bez żadnych wstępów:

– Marguerite, czy to prawda, że Maria Curie przebywa w waszym mieszkaniu, ściślej w służbowym mieszkaniu twojego męża, należącym do École Normale?

– Widzę, że plotki w tym mieście podróżują szybko – odparła trochę zaskoczona.

– Plotki? Miałem w tej sprawie telefony od ministra szkolnictwa, rektora Sorbony i rektora École Normale! Co wam strzeliło do głowy, żeby się mieszać do afery, która was nie dotyczy?

– Maria została oczerniona. Jest zaszczuta i bezradna. Musieliśmy jej pomóc.

– Sama jest sobie winna! – wykrzyknął Appell, walcząc z guzikiem. – Gdzie drwa rąbią, tam wióry lecą!

Marguerite zaczynały lekko drgać nozdrza, co oznaczało rosnące emocje.

– Nie poznaję cię, ojcze – próbowała mówić spokojnie. – Maria nie jest byle kim. Jest wybitną uczoną, która przyniosła Francji więcej...

Przerwał jej:

– Ale ja jestem odpowiedzialny za porządek na uczelni! Czy ty wiesz, że Rada Ministrów będzie dziś obradować w tej sprawie?

– No, jeśli ministrowie i dziekani w tym kraju nie mają nic lepszego do roboty... – zauważyła z przekąsem.

Appell usiadł w fotelu, pochylił się, zaczął wkładać i sznurować buty.

– Całe szczęście, że poważni ludzie się tym zajęli. Dzięki temu znaleźliśmy rozwiązanie.

– Ciekawe. Jakie to rozwiązanie?

Podniósł głowę, lekko się zawahał:

– Przekaż Marii – powiedział w końcu – żeby jak najszybciej zjawiła się u mnie w biurze. Porozmawiam z nią i w możliwie delikatny sposób wyjaśnię sytuację...

Drżały mu ręce, nie mógł uporać się ze sznurowadłem.

– Jaką sytuację, co jej zamierzasz wyjaśniać? – spytała Marguerite.

– Maria Curie zostanie poproszona o opuszczenie kraju. To najlepsze rozwiązanie.

„Poproszona o opuszczenie kraju” – to nie było nic innego niż elegancka forma określenia „deportowana”. To słowo nie brzmiało wówczas jeszcze tak złowrogo, jak dziś, po doświadczeniach okupacji, ale jego sens był jednoznaczny. W ten sposób dumna Francja chciała się pozbyć „kłopotu" w postaci kobiety, której wielkość uznawał cały cywilizowany świat. Tak samo, jak nie tak dawno – choć może w bardziej drastyczny sposób – postąpiono z Dreyfusem, żeby nie kalał francuskiej ziemi.

Nozdrza Marguerite drgały już teraz jak u rasowego rumaka tuż przed wyścigiem.

– Co takiego? Chcecie ją wyrzucić? Wygnać, jak w średniowieczu? Upokorzyć wielką uczoną, dlatego że kołtuństwo sprzysięgło się przeciwko niej?

Appell spuścił wzrok. Wciąż silił się na spokój.

– Dostanie katedrę i laboratorium w Polsce. Będzie mogła wyjechać, kiedy zechce. Jej dalszy pobyt w Paryżu jest niemożliwy!

– Ojcze! – wyszeptała Marguerite, bardziej z niedowierzaniem niż z gniewem.

– Zrobiłem dla niej wszystko, co możliwe. Popierałem jej kandydaturę do Akademii. Ale nie jestem w mocy powstrzymać morza, w którym tonie!

Chwilę trwała cisza, po czym Marguerite zaczerpnęła powietrza i zaczęła mówić z mocą, drżąc na całym ciele:

– Ojcze, jeżeli się ugniesz przed tym nacjonalistycznym idiotyzmem, jeśli będziesz nalegał, by Maria

Curie opuściła Francję – przysięgam, że nie zobaczysz mnie do końca mojego życia, ponieważ nie jesteś już sobą, moim ojcem, którego kochałam i szanowałam.

Appell nie wytrzymał. Zerwał się i rzucił w córkę trzymanym w ręce butem. Marguerite uchyliła się – but trafił w drzwi gabinetu. Stali tak naprzeciwko siebie – siwowłosy profesor z potarganą brodą i młoda piękna kobieta, przejęta gniewem. Wreszcie Appell z rezygnacją powoli opadł na fotel. Powiedział cicho:

– Maria ściąga na siebie burzę. Ta nawałnica zmiecie ją, a ciebie razem z nią. – Wzruszył ramionami. – Ale skoro tego chcesz... Dobrze, Marguerite, zobaczę, co da się zrobić.

Marguerite podbiegła, ucałowała go w policzek. Udobruchany, dodał jeszcze:

– Tylko żeby oni nie robili już więcej żadnych głupstw!

Marguerite postawiła na swoim, a jej ojciec dotrzymał słowa. Maria została na razie u Borelów, gdzie niemal całkowicie odseparowała się od zewnętrznego świata, a ja poczułem ukłucie wstydu z powodu swego wcześniejszego zwątpienia.

19

A burza trwała w najlepsze. W gazetach nie tylko zastanawiano się, czy Maria Curie, laureatka dwóch Nagród Nobla, może nadal pozostać profesorem Sorbony, lecz także przytaczano okrzyk woźnicy Louisa Manina – rzekomo słyszany przez świadków – tuż po wypadku, w którym zginął Piotr Curie: „Dosłownie rzucił się pod moje konie!". Sugestia była oczywista: ta kobieta, wykorzystująca odkrycia swego męża do zrobienia kariery, zdradzała go już wtedy, skłaniając do samobójstwa. Czy można posunąć się dalej?

W tym wszystkim przodowały oczywiście gazety uchodzące w ówczesnej politycznej konfiguracji Francji za prawicowe, choć skierowane do jak najszerszych kręgów czytelników, przy dyskretnym milczeniu prasy poważniejszej, której miejsce w politycznym spectrum było w centrum lub bardziej na lewo. Jedynie lewicujące pismo „Gil Blas" kilkakrotnie stanęło w obronie Marii Curie, krytykując zarówno samo opublikowanie listów, jak i sposób ich komentowania, nie stroniąc przy tym od osobistych wycieczek pod adresem Gustave'a Téry'ego, co miało swoje konsekwencje.

Był chłodny wieczór. Wychodziłem właśnie z uczelni, gdy na dziedzińcu natknąłem się na Paula Langevina. Jak się okazało, czekał tam na mnie. Miał bladą, poważną twarz.

– Musisz mi pomóc, Jean – powiedział bez żadnych wstępów. – Wyzwałem na pojedynek Téry'ego, dziennikarza, który opublikował te listy.

Stanąłem jak wryty, przyglądając mu się z niedowierzaniem.

– Wiem, że to idiotyzm! – Zdawał się czytać w moich myślach. – Ale muszę to zrobić. Potrzebuję sekundanta.

Nie byłem zwolennikiem pojedynków, uważałem je za wręcz śmieszną formę załatwiana spraw honorowych. Jednakże Téry nazwał Paula publicznie „prostakiem i tchórzem" oraz napisał, niby to zwracając się do Marii: „Jest mężczyzna, do którego można się zwrócić, by przerwał tę jezuicką farsę (Swoją drogą, trudno zrozumieć, dlaczego „farsa" do tej pory, jak się wydawało, „żydowska”, stała się nagle „jezuicką” – ale to inna sprawa). Nie uda się Pani ukryć go pod swoją spódnicą. Nazywa się Paul Langevin”. W myśl ówczesnego kodeksu honorowego Paul nie miał innego wyjścia, jak szukać satysfakcji na udeptanej ziemi. Nie mogłem więc odmówić.

Trzeba było jeszcze znaleźć drugiego sekundanta, co okazało się trudniejsze, niż przypuszczaliśmy. Kandydaci – głównie z kręgów naukowych, bo innych przecież nie znaliśmy – a to wprost odmawiali, a to wymawiali się pod różnymi pretekstami. W końcu zgodził się matematyk Paul Painlevé. Pozostało jeszcze udać się do eleganckiego magazynu Gastinne Renette, gdzie szanujący się paryscy pojedynkowicze zaopatrywali się w broń, w celu nabycia pistoletów – i mogliśmy zaczynać.

Trzeba tu dodać, że nie miał to być pierwszy pojedynek w związku ze „sprawą Curie–Langevin”. Jak dotąd odbyły się już trzy: Léon Daudet pojedynkował się z redaktorem wspomnianego „Gil Blas” – Henri Chevretem (Daudet został raniony szpadą, rana była głęboka na sześć centymetrów), Pierre Mortier z „Gil Blas” stanął na udeptanej ziemi przeciwko Gustave'owi Téry'emu, z kolei sam hrabia Léon de Montesquiou zmierzył się z Georges'em Breittmayerem – przy czym był to pojedynek *per procura*, bo pierwszy reprezentował Daudeta, a drugi – „Gil Blas". Potem, już po pojedynku Paula z Térym, pojedynkowali się jeszcze ponownie Mortier i Bainville.

Jak widać, dzielne „Gil Blas" gotowe było stawać w obronie Marii Curie nie tylko z piórem, ale i z bronią w ręku. Natomiast Téry, jak sądzę, chętnie przyjmował wyzwania, gdyż – wziąwszy pod uwagę jego wzrost, wygląd i neurastenię – pojedynki dawały mu na chwilę poczucie, że wciela się we francuskiego herosa walczącego z demonem zła.

W każdym razie dwudziestego piątego listopada o świcie – poranek był chłodny i mglisty – spotkaliśmy się wszyscy w lasku Vincennes, na używanej do tego celu polanie. Obok mnie i Painlevégo obecni byli dwaj sekundanci Téry'ego i lekarz ze swoją torbą, no i oczywiście główni aktorzy spektaklu, obaj w miękkich kapeluszach, niczym muszkieterowie. Langevin i Téry stanowili kontrast niemal groteskowy: jeden wysoki, o żołnierskim wyglądzie, z podkręconym wąsem, drugi – mały, brzydki, nieco zgarbiony. Dodać trzeba, że we mgle majaczyło jeszcze kilka postaci – byli to dziennikarze, którzy potem opisali całe zdarzenie w swoich gazetach.

Po krótkiej naradzie z sekundantami Téry'ego odliczyliśmy krokami odległość dwudziestu pięciu metrów. Potem załadowaliśmy broń – dobrze, że nauczono mnie tego w sklepie Gastinne Rennette – i wręczyliśmy pistolety pojedynkowiczom. Wszystko to odbywało się niemal w milczeniu. Paul był bardzo zdenerwowany, co chwila podkręcał wąsa.

Langevin i Téry stanęli na wyznaczonych miejscach. Wszyscy sekundanci ustawili się pośrodku, poza linią ognia, lekarz – nieco z boku. Pojedynkowi zgodził się przewodniczyć Painlevé.

– Gotowi? – zawołał donośnie. I po chwili – Raz. Dwa. Trzy. Ognia!

Paul podniósł rękę z pistoletem. Mijały sekundy, jednak Téry trzymał wciąż pistolet lufą w dół. Wreszcie nacisnął spust – strzelając w ziemię. Zaskoczony Paul opuścił broń i po chwili także strzelił w ziemię.

Huk wystrzałów spłoszył z drzew gromadę jesiennych ptaków. Honorowi stało się zadość.

Wkrótce potem odwiedziłem Marię – na jej zaproszenie – w mieszkaniu Borelów. Wydawała się już spokojniejsza, ale bladość i podkrążone oczy świadczyły o bezsennych nocach. Marguerite podawała kawę. Czekaliśmy jeszcze na André Debierne'a, którego Maria też zaprosiła.

– Swoją drogą, zastanawiam się – powiedziała Marguerite z uśmiechem – dlaczego ten, jak mu było, Téry, wystrzelił na wiwat.

Maria milczała, ale miałem wrażenie, że w kąciku jej warg też pojawił się uśmieszek.

– Podobno tłumaczył, że jego obrona pani Langevin nie zobowiązywała go do zabijania ojca jej dzieci – wyjaśniłem.

– Mógł przynajmniej udać, że celuje.

– Twierdził, że jest takim pechowcem, że na pewno by trafił. A tak, Paul wyszedł z tego i z życiem, i z honorem.

Moje wyjaśnienia rozbawiły nieco gości, ale potem znów zapanowała cisza. I nagle odezwała się Maria:

– U nas to by było nie do pomyślenia – powiedziała niemal wesoło. – Polski honor nie zazna zaspokojenia, póki ktoś nie umrze.

W tej chwili wszedł André. Wszyscy rozsiedli się przy stole. Maria podniosła leżący przed nią arkusz zapisanego papieru. Podała go najbliżej siedzącemu Émile'owi.

– Czytajcie – niemal rozkazała.

Émile popatrzył na nagłówek. Przeczytał głośno:

– Szwedzka Królewska Akademia Nauk. – Przeniósł wzrok na podpis: – Pan Christopher Aurivillius, sekretarz.

Popatrzył na Marię pytająco.

– Szwedzka Akademia Nauk – potwierdziła. – Co prawda, przyznali mi Nagrodę Nobla, ale odradzają przyjazd po jej odbiór „w obecnej sytuacji".

Spojrzeliśmy po sobie niepewnie. W ciszy, jaka znów zapadła, Debierne wziął list z rąk Borela, przebiegł go wzrokiem.

– „Dotarły do nas kopie przypisywanych Pani listów... Sytuację na dodatek pogorszył śmieszny pojedynek pana Langevina... Tak więc, upraszam Panią o pozostanie we Francji, ponieważ nikt nie może przewidzieć, co by się stało podczas wręczania pani nagrody...".

Urwał. Nikt nie wiedział, jak zareagować na to, co usłyszeliśmy. Opowiedzenie się dostojnej Akademii Szwedzkiej w dalekim Sztokholmie po stronie obrońców francuskiej rodziny przed niemoralną cudzoziemką było jednak trudne do przełknięcia. Milczenie przerwała sama Maria:

– Posunęli się do tego, że napisali otwarcie: gdyby Akademia wiedziała wcześniej o tych listach, to na pewno nie przyznałaby mi Nagrody Nobla.

– Co odpowiesz? – odezwałem się po chwili.

– Już odpowiedziałam.

Podniosła ze stołu drugi arkusz – świeżo napisany list, włożyła okulary.

– „Wydaje mi się, że gdybym zrobiła to, co mi pan radzi, byłoby to z mojej strony wielkim błędem. Nagroda została przyznana za odkrycie polonu i radu. Nie ma żadnego związku między moją pracą naukową a życiem prywatnym".

Odłożyła list. Powoli, w zamyśleniu, zdjęła okulary.

– I co zrobisz? – spytał cicho Debierne.

Spojrzała na niego, jak na małe dziecko zadające niemądre pytania.

– Oczywiście, że pojadę.

20

Ci, którzy ostrzyli sobie zęby na smakowity kąsek, jakim miała być rozprawa sądowa, podczas której publicznie omawiano by życie osobiste madame Curie i profesora Langevina, ze wszystkimi intymnymi szczegółami, dowodząc nie tylko niemoralności obojga, lecz także bezczeszczenia przez nich francuskiej rodziny, jak również popełnienia kryminalnego przestępstwa „zadawania się z konkubiną w domu małżeńskim" – srodze się zawiedli.

Sala sądowa była mała, ciemna i ponura – jak grudniowy dzień na zewnątrz. Na podwyższeniu zasiedli sędziowie w togach. Niżej – po jednej stronie Jeanne Langevin, w ciemnej sukni, jaka przystoi zbolałej żonie i matce, i jej adwokat, po drugiej – Paul Langevin, ze spuszczoną głową, jakby zobojętniały na wszystko.

Pojawiło się sporo żądnej sensacji publiczności i jeszcze więcej dziennikarzy. Przyszły także matka Jeanne i pani Bourgeois, wystrojona jak na bal karnawałowy.

Wśród szmeru oczekiwania głos zabrał adwokat Jeanne:

– Informuję, że małżonkowie Langevin osiągnęli porozumienie poza sądem, w związku z czym wycofujemy oskarżenie kryminalne w tej sprawie...

Jęk zawodu poszedł po sali. Dziennikarze pracowicie pisali w swoich kajetach, ale po minach widać było, że taki obrót sprawy nie jest po ich myśli.

Z kolei przemówił sędzia:

– Ponieważ pan Langevin złożył oświadczenie, że wina leży całkowicie po jego stronie, sąd ogłasza separację małżeńską i orzeka, iż opieka nad czworgiem dzieci zostaje powierzona pani Jeanne Langevin, niemniej ojciec ma prawo spędzać z nimi połowę niedziel w roku. Ponadto pan Langevin wypłacał będzie małżonce sumę ośmiuset franków miesięcznie...

Koniec. Paul Langevin, chcąc oszczędzić Marii dalszych upokorzeń, zdecydował się na pozasądową ugodę i wziął winę na siebie, co skutkowało separacją na orzeczonych warunkach. Z pewnością nie było to dla niego łatwe rozwiązanie, szczególnie ze względu na rozłączenie z dziećmi. Nie zyskiwał zaś nic, zwłaszcza wolności, bo przecież nadal pozostawał mężczyzną żonatym.

Sędziowie opuszczali salę. Publiczność także zaczęła się rozchodzić, komentując to, co zaszło i nie ukrywając rozczarowania. Jeanne rzuciła się w ramiona matce i siostrze, gestem zapewne przygotowanym zawczasu, zupełnie jakby odniosła jakieś wielkie zwycięstwo.

Wśród rzednącego tłumu dało się słyszeć komentarze:

– Ani słowa o tej pani Curie...

– Wziął całą winę na siebie, żeby ją osłonić...

– Upiekło się cudzoziemskiej przybłędzie...

– Nic dziwnego. Zawsze się chowała za czyimiś plecami...

Paul długo jeszcze siedział na swoim miejscu ze zwieszoną głową. Nie widział, że z ław prasowych wciąż przygląda mu się mały brzydki człowieczek, dawny kolega, a potem najbardziej zajadły wróg, Gustave Téry. Kiedy podniósł głowę, ich spojrzenia się spotkały. Téry odwrócił wzrok i pośpiesznie wyszedł z sali.

Po chwili Paul, zupełnie sam, schodził po monumentalnych schodach, z których stróż wielką miotłą uprzątał śnieg. Wokół toczyło się zwyczajne życie miasta, nikt nie zwracał na niego uwagi.

A Téry wrócił do redakcji, zasiadł przy biurku w swoim kantorku i zaczął pisać, co następuje:

> Sam skandal zniszczył bezczelne pretensje, ujawnione w listach tej cudzoziemki, możemy być więc zasłużenie dumni z wyniku swych działań. Nie na darmo przeciwstawialiśmy się żydowskiej hipokryzji, nie na darmo kilku z nas ryzykowało w pojedynku życie – spowodowaliśmy bowiem triumf praw uciemiężonej kobiety.

Na wspomnienie pojedynków i własnego bohaterstwa niezłomny obrońca uciemiężonych kobiet uśmiechnął się sam do siebie. Po czym pisał dalej:

> Co się zaś tyczy naszych przeciwników, mieszańców i Żydów z Sorbony, to klęska, jaka stała się ich udziałem, mimo wszystkich oficjalnych wpływów, którymi dysponują, nauczyła ich, że nie tak łatwo odnieść zwycięstwo, kiedy się atakuje wciąż jeszcze twardą skałę: francuską tradycję.

Zbiegiem okoliczności wieczorem tego samego dnia w odległym Sztokholmie miało miejsce zgromadzenie zupełnie innego rodzaju.

Pięknie udekorowana i jasno oświetlona sala pełna była wytwornych fraków, orderów i sukien z trenami. Jak zwykle skromnie ubrana Maria Curie odbierała Nagrodę Nobla z rąk króla Gustawa. Zachowywała się naturalnie i godnie. Kiedy składała przepisowe ukłony, sala rozbrzmiała oklaskami. Ceremonii nie zakłóciło nic, co mogłoby mieć związek z „obecną sytuacją" laureatki, a czego tak bardzo obawiał się pan Aurivillius.

Kiedy stanęła przy pulpicie, by wygłosić tradycyjną mowę noblowską, zapadła cisza. Może część publiczności spodziewała się, że laureatka nawiąże w niej do wydarzeń ostatnich miesięcy, albo – choćby w aluzyjnej formie – krytycznie odniesie się do tego, co spotkało ją we Francji. Ale ona mówiła tylko o promieniotwórczości, o polonie i radzie, ostentacyjnie podkreślając swoją rolę w ich odkryciu. To była jej odpowiedź.

W jaskrawym świetle doskonale widoczne były jej ręce, poparzone od nieustającego kontaktu z substancjami radioaktywnymi; ręce, które całował Paul Langevin:

– Promieniotwórczość to bardzo młoda dziedzina wiedzy – mówiła. – To niemowlę, przy którego narodzinach byłam obecna i do którego rozwoju przyczyniłam się ze wszystkich mych sił. To dziecko już urosło i jest piękne. Trudno sobie wyobrazić wspanialsze błogosławieństwo dla tego dziecka niż przyznanie przez szwedzką Akademię tylu Nagród Nobla – jednej w dziedzinie fizyki i dwóch w dziedzinie chemii – czterem osobom: Henri Becquerelowi, Piotrowi Curie, Marii Curie i Ernestowi Rutherfordowi...

Oddawszy sprawiedliwość Piotrowi i innym pionierom promieniotwórczości, Maria mówiła z dumą o własnych osiągnięciach, których nic, żadne prasowe nagonki, żadne oskarżenia, żadne kalumnie, nie były w stanie jej wydrzeć:

– Znaczenie radu z punktu widzenia ogólnych teorii było decydujące. Dzieje odkrycia i wyizolowania tej substancji dostarczyły dowodów postawionej p r z e z e m n i e hipotezie, według której radioaktywność, to atomowa właściwość materii, mogąca przyczynić się do odnalezienia nowych pierwiastków... Wyizolowanie radu jako czystej soli zostało podjęte p r z e z e m n i e... O k r e ś l i ł a m liczbę atomową... o t r z y m a ł a m w ten sposób produkty o bardzo wysokiej aktywności...

Gdy skończyła, na sali wybuchły rzęsiste oklaski. Wszyscy wstali. W pierwszym rzędzie – elegancko ubrane i uszczęśliwione – Irena i Bronisława, klaszczące z całych sił. W 1935 roku, w tej samej sali, Irena

Joliot-Curie – wraz z mężem Fryderykiem Joliotem – odbierze własną Nagrodę Nobla.

Po separacji małżeństwa Langevinów zainteresowanie „aferą" stopniowo wygasało, mimo wysiłków Téry'ego, który desperacko próbował je podtrzymać artykułami w swojej gazecie, wpadając w coraz gwałtowniej antysemicki ton. Dowiedziawszy się, że Maria Curie ma na drugie imię Salomea, usiłował udowodnić, że jest ona Żydówką.

Wygasał także ogień, rozniecony – jak pisano jeszcze niedawno – „przez żar radu" w sercach dwojga uczonych. Maria i Paul po prostu się rozstali, choć pozostali przyjaciółmi.

Dwa lata później Paul Langevin powrócił na łono rodziny (co przeszło już bez najmniejszego rozgłosu), a niedługo potem – niepoprawny – nawiązał nowy romans, o którym, jak się zdaje, jego żona doskonale wiedziała, ale jej to nie przeszkadzało, gdyż jego nowa wybranka była osobą nikomu nieznaną.

21

Potem wybuchła Wielka Wojna. Huk dział nad Sommą i Marną na dobre zagłuszył wystrzały „śmiesznych pojedynków" o honor madame Curie...

Wszyscy – Langevin, Debierne, ja – dostaliśmy nakazy mobilizacyjne. Maria także – wraz z młodziutką i przerażoną Ireną – ruszyła na front, by organizować flotyllę „samochodów radiologicznych", przeznaczonych do prześwietlania rannych żołnierzy przy użyciu promieni Roentgena, jak najszybciej po doznaniu urazu, co umożliwiało bardziej dokładną diagnozę.

Dzięki jej energii udało się wysłać na front dwadzieścia takich pojazdów, ale ona żałowała, że nie znalazło się ich tam co najmniej tysiąc. Niemniej zawsze przyjmowane były przez frontowych żołnierzy z entuzjazmem, nazywali je *les petites Curie*. Wiem coś o tym, bo sam prowadziłem jeden z nich.

Langevin, uczony po czterdziestce, co prawda awansował na sierżanta, ale został skierowany do służby na tyłach, czyli do kopania rowów.

W 1916 roku, kiedy Painlevé, jego sekundant w pojedynku z Térym, wszedł do rządu, obaj zostaliśmy odkomenderowani do Paryża, by oddać nasze umiejętności naukowe w służbę obronności kraju. Paul podjął pracę nad skonstruowaniem wspomnianego już urządzenia do wykrywania niemieckich łodzi podwodnych, które nękały naszą flotę, ja zaś pracowałem nad czymś z grubsza podobnym, ale można powiedzieć, skierowanym w odwrotną stronę, mianowicie nad urządzeniem do wczesnego ostrzegania przed nadlatującymi samolotami, funkcjonującym dzięki wykorzystaniu fal dźwiękowych. Nasze aparaty gotowe były pod sam koniec wojny, nie wiem więc, na ile przyczyniły się do zwycięstwa.

Po wojnie – w końcu jednak wygranej – nastroje we Francji uległy radykalizacji, krajem wstrząsnęła fala strajków. Zradykalizował się także Paul Langevin, który, nagle dostrzegłszy światło prawdy i postępu na Wschodzie, stał się gorącym orędownikiem Związku

Sowieckiego, podpisując liczne petycje utrzymane w zdecydowanie prosowieckim duchu. (Nie on jeden – podobnie postąpiło wówczas wielu skądinąd światłych i utalentowanych Francuzów; niektórzy nie nabrali wątpliwości do dziś). Bezskutecznie usiłował wciągnąć w to Marię, ale ona odmówiła.

Miała w tym czasie zupełnie co innego na głowie. Razem z Debierne'em – dzielny kapral André dosłużył się na wojnie odznaczenia bojowego – organizowała nowe, wielkie i nowoczesne Laboratorium Curie, którego dokończenie przerwała wojna. Nie należy z tego wyciągać pochopnego wniosku, że to rząd francuski nagle tak hojnie sypnął groszem – wszystko to działo się za pieniądze amerykańskie, przede wszystkim pochodzące z Fundacji Carnegie.

Potem wyruszyła w podróże po całym niemal świecie, także do Polski – która wreszcie odzyskała niepodległość – i do Stanów Zjednoczonych, gdzie przyjmowano ją jak królową.

Stała się – jak ujęliby to Amerykanie – międzynarodową *celebrity*; ona, która nigdy nie znosiła rozgłosu i tłumu wokół siebie, teraz cierpliwie tolerowała

Maria Curie z prezydentem USA Wiliamem Hardingiem i jego świtą

nieustający błysk fleszy niezliczonych aparatów fotograficznych, uwieczniających ją wraz z prezydentem Stanów Zjednoczonych i innymi możnymi tego świata.

Francja – która jeszcze nie tak dawno chciała ją deportować, pardon, „poprosić o opuszczenie kraju" – teraz oczywiście nie chciała pozostać w tyle, więc też ją honorowała na wszystkie możliwe sposoby. Ale ona, konsekwentnie, kolejny raz odmówiła przyjęcia Legii Honorowej.

Paul tymczasem, niestrudzony aktywista, dalej prowadził swą pacyfistyczną działalność. Zaprosił do Paryża Einsteina, co bardzo nie podobało się niektórym – to w końcu Niemiec (co z tego, że Żyd)! – dzięki czemu pewnego wieczoru mogliśmy wszyscy spotkać się u Borelów: prócz gospodarzy, także milcząca Maria, Langevin i ja, oraz arystokratyczna poetka Anna de Noailles, z którą Einstein bawił się w misterne przekładanie nitek przez palce.

W 1927 roku, kiedy jeszcze mało kto słyszał o Adolfie Hitlerze, za to wielu imponował Benito Mussolini, Paul zwołał do Paryża pierwszy Kongres Antyfaszystowski. Okazał się świetnym mówcą wiecowym.

Ale i niepoprawnym uwodzicielem. Znów nawiązał romans, tym razem z laborantką, i miał z nią swoje piąte dziecko. A kiedy jego nowa wybranka znalazła się bez pracy, poszedł z tym do Marii, która bez wahania zatrudniła ją w swym laboratorium.

Na szczęście nie zaniedbywał aktywności naukowej i kilka lat później przewodniczył kolejnej Konferencji Solvayowskiej, na której małżonkowie Joliot zaprezentowali swoje odkrycie – zjawisko sztucznej promieniotwórczości.

Kiedy Maria dowiedziała się o tym odkryciu, teraz z kolei ona pierwsze kroki skierowała do Paula i razem udali się do laboratorium Joliotów, by zobaczyć prezentację nowego niezwykłego zjawiska.

Jednak z upływem lat zaczynała się jakby wstydzić swej dawnej namiętności. Podobno powiedziała komuś – w co aż trudno mi uwierzyć, tak bardzo nie jest w jej stylu – „zhańbiłam nazwisko, które dał mi Piotr".

Równocześnie coraz bardziej podupadała na zdrowiu. Na zdjęciach z wizyt, bankietów i koncertów, urządzanych na jej cześć, widać niedużą siwowłosą kobietę z trochę nieobecnym wyrazem twarzy, jakby to wszystko w gruncie rzeczy jej nie dotyczyło (zresztą niemal nic nie widziała bez grubych szkieł). Długie rękawy i rękawiczki skrywają rany, jakie zadały jej ukochane dzieci – polon i rad. Leczyła się na wszystko – łącznie z gruźlicą – tylko nie na to, co jej naprawdę dolegało.

Do ostatniej chwili odrzucała myśl, że substancje promieniotwórcze, oprócz dobra, mogą czynić zło, wyrządzać szkody – szczególnie tym, którzy wydarli naturze ich tajemnice.

Maria Curie zmarła na ostrą białaczkę w sanatorium w Szwajcarii 4 lipca 1934 roku. Zgodnie ze swą wolą została pochowana na cmentarzyku w Sceaux, obok Piotra.

A myśmy zostali. Pracowaliśmy dalej, starając się robić to, co umieliśmy, najlepiej jak było to możliwe.

Czasem skutki bywały, mówiąc najoględniej, dziwaczne, jak wtedy, gdy Émile Borel – który po powrocie z długiej podróży do Chin rzucił się w wir polityki – został mianowany ministrem... marynarki, choć nie znał się na tym zupełnie.

Marguerite – co prawda jako Camille Marbo – z biegiem czasu zyskała wielkie uznanie jako pisarka (wydawała – czego nigdy nie mogłem pojąć – mniej więcej dwie powieści rocznie), odznaczono ją nawet Legią Honorową.

Ja też zostałem ministrem (ściślej: sekretarzem stanu), na szczęście edukacji, w krótkotrwałym rządzie Frontu Ludowego pod przewodnictwem Léona Bluma, znajomego z salonu Borelów. Starałem się wprowadzać w czyn idee, które głosił Piotr Curie i po części także Paul Langevin – by francuska nauka nie była zależna od hojności amerykańskich dobroczyńców.

Może to choć trochę mnie tłumaczy, dlaczego po klęsce nie czekałem, aż przyjdą po mnie o świcie, tylko opuściłem Francję i znalazłem się tu, w Nowym Jorku.

22

Minęło kilka miesięcy, a amerykańska armia nie tylko nie wkroczyła jeszcze do Paryża, ale nawet nie wyruszyła do Europy. W mieście niemal na każdym rogu ulicy pojawiły się punkty werbunkowe, nie mówiąc już o plakatach wzywających do wojennego wysiłku. Ale same walki z udziałem Amerykanów toczyły się wciąż – na wodzie i w powietrzu – raczej na Oceanie Spokojnym niż na plażach Normandii.

Ponieważ to jednak znacznie bliżej amerykańskiej ziemi, w Nowym Jorku wprowadzono częściowe zaciemnienie. Nie należy tego, broń Boże, rozumieć w ten sposób, że kazano wygasić wszystkie światła i pozasłaniać okna. Zarządzenia ograniczały się w zasadzie do neonów i jasno oświetlonych reklam, więc kina i teatry na Broadwayu zastąpiły je podświetlanymi markizami z kolorowych cekinów, które odbijały przyciemnione światła, dając przyjemny, nieco tajemniczy efekt.

Pomyślałem sobie nawet, że gdyby to wszystko działo się trochę wcześniej, ktoś przedsiębiorczy z pewnością wpadłby na pomysł, by pokrywać takie szyldy roztworem radu, który przecież tak pięknie świeci w ciemności. Niektórzy, co gorliwsi nowojorczycy instalowali w oknach swych mieszkań rolety, by dać świadectwo czujności i solidarności wojennej. Trudno jednak mówić, by wokół zapanował mrok i poczucie zagrożenia.

Widząc to wszystko, coraz częściej wracałem myślami do Paryża. Nie były to myśli wesołe ani nawet sentymentalne, gorzej, nie były nawet nostalgiczne. Wiedziałem bowiem aż nadto dobrze, że właśnie teraz moje miasto wygląda mniej więcej tak samo: niby ciąży na nim wojna, ale w najlepsze działają kina, teatry i kabarety, odbywają się premiery nowych sztuk i filmów, śpiewają Maurice Chevalier i Édith Piaf...

Pewnie obowiązują jakieś ograniczenia wynikające z okupacji, nie wyłączając częściowego zaciemnienia, ale nie zmienia to faktu, że na widowniach wśród Francuzów zasiadają niemieccy żołnierze, pijąc szampana i dobrze się bawiąc w mieście świateł i miłości. Czy mogłoby dojść do tego, by tutaj, w teatrach Broadwayu, rozpierali się Japończycy?

Telefon zadzwonił, gdy byłem pogrążony w takich rozmyślaniach. Ten dźwięk nie rozbrzmiewał w moim mieszkaniu często. Nieco zdziwiony, podniosłem słuchawkę.

– Dobry wieczór, profesorze – usłyszałem po francusku. – Mówi Antoine.

Antoine? To oczywiste, że znałem co najmniej kilku mężczyzn o tym imieniu, jest przecież dość pospolite, ale który to z nich mógł do mnie telefonować? Nie potrafiłem rozpoznać głosu w słuchawce. W końcu jednak skojarzyłem, nie mogłem sobie tylko przypomnieć, czy jest on porucznikiem czy majorem, wybrałem więc formę pośrednią i powiedziałem:

– Dobry wieczór, kapitanie.

Być może mi się zdawało, że usłyszałem śmiech. Był w końcu przyzwyczajony, że tytułowano go rozmaicie. Niektórzy francuscy snobi – tu, w Ameryce – mówili do niego wręcz „panie hrabio".

Saint-Exupéry dzwonił, żeby zaprosić mnie na kolację. Nie za tydzień ani nawet jutro, ale jeszcze tego samego wieczoru. Takie widocznie miał obyczaje. Przecież prawie zupełnie go nie znałem.

Tym sposobem trafiłem do Alliance Française, francuskiego klubu na rogu Piątej Alei i Pięćdziesiątej

Drugiej Ulicy, miejsca, którego dotąd unikałem, jak mogłem. Owszem, w ciągu tych paru lat swojej nowojorskiej emigracji musiałem tam być kilka razy, ale zawsze wychodziłem z postanowieniem, że tam więcej nie powrócę, lecz tego postanowienia, jak widać, zazwyczaj nie dawało się długo utrzymać w mocy.

Klub, w którym bywała francuska elita Nowego Jorku i o którego członkostwie marzył każdy szanujący się bywalec i snob, był w istocie gniazdem os, miejscem najgorszego rodzaju plotek i intryg, jakie tylko mogą zrodzić się tam, gdzie gromadzą się ludzie wykorzenieni, pozbawieni naturalnego oparcia w ojczyźnie. Najzabawniejsze – a zarazem jakże smutne – było to, że regularnie spotykali się tam zwolennicy Vichy (bo wcale nie brakowało takich wśród emigracji) ze stronnikami de Gaulle'a. Siadywali przy osobnych stolikach i spoglądali na siebie złowrogo, w czym zapewne upatrywali spełnienia patriotycznego obowiązku, niepozbawionego nuty bohaterstwa.

I teraz właśnie przekraczałem wysokie progi Alliance Française, by spotkać się z prawdziwym francuskim bohaterem, który nie tylko mnie tu zaprosił, ale i, jak zrozumiałem, bardzo lubił w tym lokalu bywać. Widocznie człowiek przyzwyczajony, że strzelają do niego, kiedy lata wysoko w powietrzu, uodpornia się także na nawet najbardziej zjadliwe plotki, zawistne pomówienia i nienawistne spojrzenia w eleganckim towarzyskim klubie.

Saint-Exupéry czekał na mnie w foyer. Obok niego stała filigranowa ciemnowłosa kobieta o egzotycznej urodzie – przy niej sam pisarz wydawał się o wiele wyższy, niż pamiętałem to z pierwszego spotkania. Miał na sobie nienagannie skrojony garnitur, a ona równie dobrze uszytą, zapewne przez jednego z najlepszych krawców, sukienkę w jaskrawoczerwonym kolorze, świetnie pasującym do jej karnacji. Zostałem przedstawiony. Kobietą okazała się Consuelo, żona Saint-Exupéry'ego.

Przeszliśmy do restauracji, nie wiedzieć czemu, uparcie nazywanej „jadalnią", i usiedliśmy przy stoliku. W czasie, gdy kelnerzy uwijali się wokół „pana hrabiego i pani hrabiny", mogłem bliżej przyjrzeć się Consuelo. Była tak drobna, że doskonale pasowało do niej francuskie słowo *petite*, zresztą, jak się dowiedziałem z niejakim zdziwieniem, także tutaj, w Ameryce, używane jako określenie najmniejszego rozmiaru damskiej odzieży. Consuelo de Saint-Exupéry była modelowym wręcz przykładem kobiety w rozmiarze *petite*.

Miała smagłą skórę i kruczoczarne włosy, gdyż pochodziła – o czym wymownie świadczyło jej imię –

z Ameryki Południowej, nie mogłem sobie przypomnieć, z Peru czy Wenezueli, ależ nie, z Salwadoru. Miała w oczach błysk żywej, ale jakby lekko złośliwej, inteligencji, która zresztą przejawiała się w czasie całej naszej rozmowy. Odnosiłem wrażenie, że nie może pogodzić się z tym, że to Antoine skupia na sobie całą uwagę, a ona pozostaje w jego cieniu.

Bo też istotnie do naszego stolika ustawiła się niemal kolejka regularnych bywalców Alliance Française, którzy chcieli zamienić z nim kilka słów lub choćby tylko uścisnąć jego dłoń, podczas kiedy inni rzucali od swych stolików niechętne spojrzenia. Co jakiś czas Consuelo pochylała się ku mnie i wygłaszała kąśliwe uwagi na temat jednych i drugich, równocześnie całym swym zachowaniem dając do zrozumienia, że jest śmiertelnie znudzona. Niekiedy tylko obdarzała promiennym uśmiechem co młodszych i przystojniejszych mężczyzn, którzy pojawiali się w polu widzenia i którzy z kolei przesyłali jej porozumiewawcze spojrzenia.

Przypomniałem sobie, że, jak obiło mi się o uszy, państwo de Saint-Exupéry już dawno zgodnie postanowili obdarzyć się wzajemnie całkowitą swobodą w sprawach, jeśli można to tak nazwać, uczuciowych. Ale może była to tylko jedna z plotek zrodzonych w tym miejscu.

Nie wiedzieć czemu, nagle wydało mi się, że mam przed sobą – jak to określić? – zniekształconą? A może tylko unowocześnioną? – wersję małżeństwa Langevinów, zupełnie jakbym oglądał jej odbicie w jednym z tych krzywych luster, które niegdyś pokazywano na jarmarkach. Ona, zazdrosna o powodzenie męża w świecie, który nie do końca jest jej światem, on – niepotrafiący wyzbyć się swojej wolności, oboje – mimo wszystko powiązani ze sobą niewidzialnymi nićmi, których w gruncie rzeczy wcale nie chcą zrywać.

Kiedy tłumek przy naszym stoliku nieco się przerzedził, kelner przyniósł butelkę szampana, otworzył i nalał nam do kieliszków.

– Czy świętujemy dziś z jakiejś szczególnej okazji? – zapytałem; to by wyjaśniało nagłe zaproszenie.

– Można tak powiedzieć – odparł Saint-Exupéry z uśmiechem. – Moje sprawy poszły ostro do przodu. Jeden podpis Roosevelta i jestem znowu za sterami. A to oznacza, profesorze – wzniósł ku górze kieliszek szampana – że niedługo polecę znów nad Francję.

Trąciliśmy się kieliszkami. Nie chciałem psuć jego radosnego nastroju, ale musiałem dodać:

– Mam nadzieję, że nie sam.

– No właśnie. I to jest prawdziwy powód do świętowania. Jeżeli, na co się zanosi, miałbym niedługo

Antoine de Saint-Exupéry z żoną Consuelo

wyruszyć do Europy razem z innymi Francuzami pod amerykańską komendą, to znaczy, że inwazja dosłownie wisi w powietrzu.

– Czy to przypadkiem nie miała być tajemnica wojskowa? – wtrąciła Consuelo.

– Daj spokój. Nie mówię przecież gdzie i kiedy, bo sam nie wiem. Mam tylko przeczucie.

– Literatura – stwierdziła z taką samą nutą pogardy, z jaką Jeanne Langevin mówiła o „wykładach" i „laboratoriach". – Literatura francuska, to znaczy dużo słów, niewiele czynów.

Nie dał się sprowokować.

– Literatura, francuska czy nie, polega na słowach. A co do czynów, musimy trochę poczekać. Ale jestem dobrej myśli.

Zaczęto nam przynosić zamówione dania. Milczenie trwało trochę zbyt długo.

– Czy zanim... – próbowałem je przerwać. – Czy przed wyjazdem pracuje pan jeszcze nad czymś? Mam na myśli literaturę.

– Ach – rzucił niedbale, jakbym przypomniał mu o czymś niezbyt ważnym – kończę nową książkę. Ma pan rację, muszę ją oddać wydawcy przed wyjazdem.

– O lotnictwie – bardziej stwierdziłem, niż spytałem.

– Widzę, że jestem już przypisany do jednego tematu. – Spróbował przyniesionego przez kelnera wina i aprobująco pokiwał głową. – I że nie budzi to pańskiego entuzjazmu.

– Jestem, ogólnie rzecz biorąc, człowiekiem przyziemnym – odpowiedziałem. – Chociaż niezupełnie: za poprzedniej wojny skonstruowałem urządzenie do wykrywania zbliżających się samolotów za pomocą fal dźwiękowych...

– Fal dźwiękowych? – uśmiechnął się z pobłażaniem. – Teraz mamy radar.

Zabrzmiało to tak, jakby przypuszczał, że ja, fizyk, nie wiem, na czym polega radiolokacja i będę go prosił o wyjaśnienia. Czyżbym już stawał się żyjącym zabytkiem przeszłości? Jeszcze chwila, a zapyta mnie, czy słyszałem o innej technicznej nowince, telewizji. Tymczasem ja zastanawiałem się nieraz, czy gdyby telewizja istniała w czasie, gdy Francja żyła romansem „madame Curie" i Langevina, a on sam stawał do pojedynku z Térym, zmieniłoby to bieg wydarzeń? Oczami duszy zobaczyłem Jeanne Langevin na tym maleńkim ekranie, jak użala się nad swym losem, a tysiące francuskich kobiet ronią łzy nad deskami do prasowania. Tak by to dziś wyglądało w Ameryce – my byliśmy skazani na lekturę pisemek panów Daudeta i Téry'ego.

– Jesteście nudni – na szczęście znów odezwała się Consuelo, tym razem tonem rozkapryszonego dziecka. Trąciła łokciem męża. – Opowiedz mu, o czym jest twoja nowa książka. Ja pójdę przypudrować nos.

Wstała od stołu, w rzeczywistości dlatego, że zobaczyła kogoś, z kim koniecznie musiała się spotkać.

– Owszem, jest tam też trochę o lotnictwie – powiedział Saint-Exupéry. – Bohaterem jest pilot, zmuszony do lądowania na pustyni.

Nagle się zamyślił. Wydawało się, że to już koniec streszczenia. Ale on wypił łyk wina i kontynuował:

– Spotyka tam małego chłopca, który okazuje się Księciem z odległej planety.

– Na pustyni? – upewniłem się.

– Jego planeta jest bardzo mała – mówił dalej, jakby mnie nie słyszał. – Rośnie na niej róża, za którą Książę czuje się odpowiedzialny, ale to go przerasta. Wyrusza więc w podróż i poznaje cały wszechświat tylko po to, żeby przekonać się, że...

Nagle zamilkł. O nic nie pytałem. Myślałem, że już się nie dowiem, o czym przekonał się Mały Książę z odległej planety. Tym bardziej że z daleka zbliżała się czerwona suknia Consuelo, a ona jakoś dziwnie nie pasowała do tej historii.

– Że najważniejsze jest dochować wierności kapryśnemu kwiatu, który ma tylko cztery kolce do obrony przed całym światem – dokończył nagle.

– A Mały Książę?

– Umiera. To znaczy, wraca na swoją planetę.

– To smutna bajka – zdążyłem powiedzieć.

– Jesteście nudni – stwierdziła ponownie Consuelo, wracając na swoje miejsce.

„Jadalnia" z wolna pustoszała. Także nasza kolacja dobiegała końca. Saint-Exupéry wzniósł w górę swój kieliszek.

– Mam nadzieję, że następnym razem zobaczymy się w Paryżu.

Wyszedłem na ulicę. Nie chciało mi się zatrzymywać taksówki, wolałem się przejść. Tak dawno tego nie robiłem. Myślałem o tym, co opowiedział mi Saint-Exupéry.

Mieliśmy taką różę także na tej planecie. Też bywała kapryśna i miała swoje kolce. Ale nie mogły one ochronić jej przed wszystkimi niebezpieczeństwami. Czyhały na nią ze strony nie tylko innych ludzi, lecz także niematerialnych sił, które sama wydobyła z ukrycia.

A Mały Książę? Paul, ten dryblas z wąsami, w gruncie rzeczy miał w sobie coś z dziecka: niecierpliwy i nieodpowiedzialny, ale też samotny i słaby, jakby przybył z innej planety i nie mógł dostosować się do praw, obowiązujących na tej.

Nagle przypomniałem sobie słowa Marii wypowiedziane wtedy, gdy obaj z Borelem próbowaliśmy jej wyperswadować kandydowanie do Akademii w – jak się nam wydawało – niesprzyjającym momencie:

– Mam pozwolić, żeby magiel, urządzany przez tę kobietę, przysłonił moje dokonania naukowe? Tak by postąpił Langevin, może nawet Piotr, tak...

Mężczyźni jej życia byli słabi, słabsi niż ona. Piotr umiał przeniknąć tajemnice materii, a nie potrafił przejść przez ulicę. Paul raz po raz dawał dowody cywilnej odwagi wtedy, gdy inni milczeli, ale nie potrafił przeciwstawić się trzem kobietom rządzącym jego własnym domem. „Trzeba go uratować przed samym sobą – powiedziała wtedy Maria do Henriette. – On jest słaby".

To nie byli bohaterowie smutnej bajki Saint-Exupéry'ego. Ale, trochę jak oni, myślą wybiegali poza granice naszego małego świata. A on niechętnie toleruje takich, którzy podważają rządzące nim prawa, pozostając przy tym ludźmi. Dostąpiłem przywileju, że mogłem być blisko nich.

Jestem starym człowiekiem. Moje myśli częściej sięgają w przeszłość, niż wybiegają w przyszłość, której

Jean Perrin około 1926 roku, gdy otrzymał Nagrodę Nobla

zapewne niewiele mi pozostało. Nie wiem, czy jeszcze kiedyś zobaczę Paryż, ale ja, dziecko dziewiętnastego wieku, mam niezłomną pewność, że dane mi było tam być świadkiem zdarzeń, które ukształtowały świat dnia dzisiejszego i jutrzejszego. Ta świadomość napełnia mnie radością i sprawia, że jestem gotów odejść bez żalu.

Chętnie jeszcze odwiedziłbym cmentarzyk w Sceaux, by położyć kwiatek na grobie Marii i Piotra. Być może będzie mi to kiedyś dane.

A tobie, przyjacielu, Paul, ślę pozdrowienie. Nie wiem, czy się jeszcze zobaczymy. Nie wiem też, czy miał rację Saint-Exupéry, nazywając cię „zakładnikiem". Wiem jednak, że jakichkolwiek wyborów dokonujesz teraz, w tej najczarniejszej z godzin, wybierasz zawsze stronę dobra. I miłości.

Noc zapada nad Manhattanem, ale światła nie gasną do końca, bo to miasto nie śpi nigdy.

EPILOG

Jean Perrin, wybitny francuski fizyk, laureat Nagrody Nobla w 1926 roku, nigdy nie napisał tych wspomnień.

Można by powiedzieć, że – jak zwykle dyskretny – zabrał ze sobą do grobu intymne tajemnice swoich przyjaciół.

Musiałem go więc wyręczyć, czy też raczej – podszyć się pod niego.

Jednak powyższe stwierdzenie, choć prawdziwe, nie jest do końca ścisłe. Kiedy wydawało się, że publiczna rozprawa rozwodowa Paula i Jeanne Langevinów jest nieunikniona i że w ten magiel – na który już ostrzyła sobie zęby tak zwana popularna prasa – nieuchronnie wciągnięta zostanie Maria Curie, Jean Perrin i jego żona Henriette – każde z osobna – napisali coś w rodzaju oświadczeń, relacjonując w nich to, co im było wiadomo w tej sprawie, z jednoznaczną intencją ochrony Marii i przedstawienia jej w jak najlepszym świetle.

Co zrozumiałe, owe „świadectwa moralności", wystawiane bliskiej przyjaciółce, nie miały charakteru osobistych wspomnień, jednak ich autorzy przez cały czas znajdowali się najbliżej bohaterów „afery", która wstrząsnęła Francją w przededniu pierwszej wojny światowej, toteż stanowią one cenne źródło i bywają cytowane w niemal każdej biografii Marii Curie. Jak już wiemy, na szczęście nigdy nie musiały zostać publicznie wykorzystane.

Piszę „niemal", bo jest rzeczą zdumiewającą, jak dalece „sprawa Langevina" – najgłośniejszy, po sprawie Dreyfusa, choć o tak odmiennym charakterze, skandal we Francji w początkach dwudziestego wieku – bywa przemilczana, chciałoby się powiedzieć: wypierana w wielu (nie tylko pisanych) biografiach uczonej. Dzieje się tak do dnia dzisiejszego, kiedy to – wydawałoby się – mówienie o tego typu sprawach obyczajowych nie powinno już napotykać na żadne opory.

Początek temu dała ona sama, całkowicie pomijając przeżycia z tamtego okresu w swej autobiografii. Nie wspomniała o nich nawet słowem, choćby w formie zawoalowanej, choćby na zasadzie wzmianki o „trudnym czasie" lub czegoś w tym rodzaju. Według tej autobiografii najbardziej bodaj traumatyczny (nie licząc śmierci Piotra Curie) okres jej życia wypełniony był wykładami, pracą naukową, wyznaczaniem Międzynarodowego Wzorca Radu...

Tą samą drogą poszła jej córka Ewa, autorka jej przez długi czas najbardziej poczytnej, popularnej na całym świecie biografii. I tu – ani słowa, jeśli nie liczyć aluzji tak subtelnej, że żaden nieprzygotowany czytelnik jej nie zrozumie. Tak jakby miejsce na piedestale należało się tylko osobom o nieskazitelnej sylwetce moralnej – to znaczy, w gruncie rzeczy, pozbawionym ludzkich odruchów, uczuć, a szczególnie namiętności.

Trudno się zatem dziwić, że ten epizod życia Marii Skłodowskiej-Curie pozostaje wciąż nieznany szerokiej publiczności. Postanowiłem go opowiedzieć nie po to, by wyręczać prawdziwych biografów – ta opowieść do takiej roli nie pretenduje i daleka jest od naukowej ścisłości – ale dlatego, że wydał mi się po prostu fascynujący: jak często w historii znaleźć można namiętne związki między ludźmi, których bez obawy przesady nazwać można geniuszami? I jak często wywołują one narodową burzę, z pojedynkami i ulicznymi manifestacjami włącznie?

Był jeszcze jeden powód. Przez wiele lat, na początku bieżącego stulecia, pracowałem nad scenariuszem filmowym opartym na wybranych wątkach biografii Marii Skłodowskiej-Curie. Miałem przy tej okazji zaszczyt współpracować z dwiema wybitnymi kobietami – znakomitą węgierską reżyserką Mártą Mészáros i naszą wspaniałą aktorką Krystyną Jandą. O dziwo, obie panie także nie miały ochoty rozwodzić się nad epizodem zwanym sprawą Curie–Langevin i w rezultacie w scenariuszu był on jedynie marginesowo wzmiankowany. Zresztą, na skutek skomplikowanego zbiegu rozmaitych okoliczności film i tak nie powstał. Tym bardziej korciło mnie, by mimo wszystko zająć się owym „osieroconym" wątkiem.

Ale wróćmy do naszego narratora. Jean Perrin mógł snuć swe wspomnienia – w których spisaniu go wyręczyłem – u schyłku życia, w Nowym Jorku, gdzie zmarł na emigracji w marcu 1942 roku.

Nie dożył wyzwolenia Francji i końca drugiej wojny światowej.

Nie zdążył się dowiedzieć, że dokładnie dwadzieścia pięć dni przed wkroczeniem aliantów do Paryża Antoine de Saint-Exupéry nie powrócił z lotu zwiadowczego nad Morzem Śródziemnym.

Nie dożył zrzucenia przez Amerykanów bomb atomowych na Hiroszimę i Nagasaki, co dla niego

– świadka narodzin promieniotwórczości – byłoby zapewne apokaliptycznym zwieńczeniem drogi prowadzącej od owych narodzin, przez badania Rutherforda nad „transformacją" substancji promieniotwórczych i teoretyczne prace Einsteina, do odkrycia mechanizmów rozpadu atomowego i tajemnic jądra atomu, co stanowiło klucz do konstrukcji broni nuklearnej. W pewnym sensie było to spełnienie się obaw Piotra Curie, wyrażonych w jego mowie noblowskiej.

Nie dożył też dnia śmierci swego przyjaciela Paula Langevina – który z „aresztu domowego" w Troyes zdołał wymknąć się do Szwajcarii – w 1946 roku.

Nie mógł też wiedzieć, że trzy lata później Hélène Joliot, córka Ireny i wnuczka Marii Skłodowskiej-Curie poślubiła Michaela Langevina, wnuka Paula.

Ani tego, że dużo, dużo później, w roku 1995, przy dźwiękach werbli, udziale najwyższych władz i w asyście wojskowej, prochy Marii Skłodowskiej-Curie i Piotra Curie zostały przeniesione z wiejskiego cmentarza i uroczyście złożone w paryskim Panteonie, gdzie spoczywają najwybitniejsi ludzie Francji.

Znacznie wcześniej, tego samego dnia w 1948 roku, pochowano tam Jeana Perrina i Paula Langevina.

DODATEK

Z PARYŻA

Wieść przybiegła do nas chyża
Depeszami wprost z Paryża,
„Lizę" skradły jakieś furje,
Dziś znów znikła pani „Kurje".
I rzecz dziwna – widzieć mieli,
Że Gioconda jest w Brukseli,
No i panią Curie pono
Też w Brukseli znaleziono.
Lecz nie znikła z Profesorem,
Nie romansu szło to torem,
Lecz jak dowód prawdy niesie,
Była w Belgii na Kongresie.

Lecz ta bajka skartowana?
Ach, to żona zwarjowana,
Co ją gryzł zazdrości bziczek...
Strzeż nas Bóg od histeryczek!

„Kurjer Satyryczny" z 19 listopada 1911

BIBLIOGRAFIA

Curie Ewa, *Maria Curie. Biografia*, przeł. Hanna Szyllerowa, Warszawa 1983

Giroud Françoise, *Maria Skłodowska-Curie*, przeł. Janina Pałęcka, Warszawa 1987

Goldsmith Barbara, *Geniusz i obsesja. Wewnętrzny świat Marii Curie*, przeł. Jarosław Szmołda, Wrocław 2011

Mierzecki Roman, *Prasa polska w 1911 wobec Nagrody Nobla dla Marii Skłodowskiej-Curie*, „Analecta" 2003, cyt. za: „Ale Historia" z 17 listopada 2013

Quinn Susan, *Życie Marii Curie*, przeł. Anna Soszyńska, Warszawa 1997

Saint-Exupéry Antoine de, *List do zakładnika*, przeł. Anna Cierniakówna, Aleksandra Olędzka-Frybesowa, Warszawa 1968

Sobieszczak-Marciniak Małgorzata, *Maria Skłodowska-Curie. Kobieta wyprzedzająca epokę*, Warszawa 2011

ŹRÓDŁA ILUSTRACJI

s. 9. © PhotoResearchers / East News
s. 16. © Bridgeman Art Library / FotoChannels
s. 20. © Leemage / Corbis / FotoChannels
s. 38. Z archiwum Muzeum Marii Skłodowskiej-Curie PTChem w Warszawie
s. 40. Z archiwum Muzeum Marii Skłodowskiej-Curie PTChem w Warszawie
s. 43. Z archiwum Muzeum Marii Skłodowskiej-Curie PTChem w Warszawie
s. 49. © Albert Harlingue / Roger Viollet / Getty Images
s. 134. Z archiwum Muzeum Marii Skłodowskiej-Curie PTChem w Warszawie
s. 137. Narodowe Archiwum Cyfrowe
s. 162. Z archiwum Muzeum Marii Skłodowskiej-Curie PTChem w Warszawie

s. 166. © Bridgeman Art Library / FotoChannels

s. 239. © Ann Ronan Pictures / Print Collector / Getty Images

s. 251. © Keystone-France / Gamma-Keystone via Getty Images

s. 257. © Mary Evans / East News

REDAKTOR PROWADZĄCY Adam Pluszka
REDAKCJA Maria Wichrowska
KOREKTA Małgorzata Borsukiewicz, Jan Jaroszuk

PROJEKT OKŁADKI, OPRACOWANIE GRAFICZNE
I TYPOGRAFICZNE Anna Pol
ŁAMANIE manufaktura | manufaktu-ar.com

ZDJĘCIA NA OKŁADCE © Science Source / Getty Images
ZDJĘCIE AUTORA © Małgorzata Mikołajczyk / SFP

WARSZAWA 2015
WYDANIE PIERWSZE

ISBN 978-83-64700-96-5

WYDAWNICTWO MARGINESY SP. Z O.O.
UL. FORTECZNA 1a, 01-540 WARSZAWA
TEL./FAKS 48 22 839 91 27
redakcja@marginesy.com.pl
www.marginesy.com.pl

ZŁOŻONO KROJAMI PISMA Scala ORAZ Eveleth

KSIĄŻKĘ WYDRUKOWANO NA PAPIERZE Creamy 70 g vol 2.0
DOSTARCZONYM PRZEZ PAPERLINX SP. Z O.O.
PaperlinX

DRUK I OPRAWA
Toruńskie Zakłady Graficzne Zapolex Sp. z o.o.